CEDU(쎄듀)는 A **C**omprehensive **E**nglish e**DU**cation(종합적 영어교육)의 약자입니다.

저자

김기훈 現 ㈜ 쎄듀 대표이사
現 메가스터디 영어영역 대표강사
前 서울특별시 교육청 외국어 교육정책자문위원회 위원

저서 천일문 / 천일문 Training Book / 초등코치 천일문
천일문 GRAMMAR / 첫단추 BASIC / 쎄듀 본영어
어휘끝 / 어법끝 / 쓰작 / Grammar Q / Reading Q / Listening Q
왓츠 리딩 / 리딩 그라피 / 리딩 릴레이 / 리딩 플랫폼 등

쎄듀 영어교육연구센터
쎄듀 영어교육센터는 영어 콘텐츠에 대한 전문지식과 경험을 바탕으로
최고의 교육 콘텐츠를 만들고자 최선의 노력을 다하는 전문가 집단입니다.

인지영 책임연구원

원고에 도움을 주신 분 한정은

마케팅	콘텐츠 마케팅 사업본부
영업	문병구
제작	정승호
인디자인 편집	올댓에디팅
디자인	윤혜영
영문교열	Stephen Daniel White

왓츠
What's
Grammar Plus
1

왓츠 Grammar Curriculum 시리즈 구성

<왓츠 Grammar> 시리즈는 학습 단계에 따라 총 6권으로 구성되어 있습니다.
학습자의 인지 수준에 맞게 문법 설명을 세분화하였고, 단계적으로 학습할 수 있도록 설계하였습니다.

Start 1~3권은 **초등 영문법을 처음 시작**하는 학생들을 위해 개발되었으며,
초등 교과 과정의 필수 기초 문법을 담고 있습니다.
Plus 1~3권은 **초등 교과 과정의 필수 기초 문법 및 심화 문법**을 담고 있습니다.

Start와 Plus 모두 1권에서 배운 내용이 2권, 3권에도 반복 등장하여 **누적 학습이 가능**하도록 했습니다.

*하단 표에서 각 권에 새로 등장하는 개념에는 색으로 표시하였습니다.

Start 1-3

☑ 교육부 지정 초등 필수 문법 3~4학년 대상 (영어 교과서 기준)
☑ 초등 영어 문법을 처음 시작할 때

	Start 1		Start 2		Start 3
1	명사	1	명사와 관사	1	대명사
2	대명사	2	대명사와 be동사	2	be동사와 일반동사
3	be동사	3	일반동사	3	현재진행형
4	be동사의 부정문과 의문문	4	의문사 의문문	4	숫자 표현과 비인칭 주어 it
5	지시대명사	5	조동사 can	5	의문사 의문문
6	일반동사	6	현재진행형	6	형용사와 부사
7	일반동사의 부정문과 의문문	7	명령문과 제안문	7	전치사

Plus 1-3

☑ 교육부 지정 초등 필수 문법 5~6학년 대상 (영어 교과서 기준)
☑ 3~4학년 문법 사항 복습 및 초등 필수 영문법 전 과정을 학습하고자 할 때

	Plus1		Plus 2		Plus 3
1	명사와 관사	1	현재진행형	1	품사
2	대명사	2	미래시제	2	시제
3	be동사	3	과거시제	3	조동사
4	일반동사	4	조동사 can, may	4	to부정사와 동명사
5	형용사	5	의문사	5	비교급과 최상급
6	부사	6	여러 가지 문장	6	접속사
7	전치사	7	문장 형식		

초등 시기, 영문법 학습 왜 중요할까요?

초등, 중등, 고등을 거치면서 배워야 할 문법 사항은 계속 늘어납니다.
같은 문법 사항이더라도 중등, 고등으로 갈수록 개념이 확장되며,
점점 복잡한 문장이나 문맥 속에서 파악해야 하는 문제들이 출제됩니다.

초등에서 배운 문법 사항이 중등, 고등에서도 계속 누적되어 나오기 때문에
이 시기에 기초를 탄탄하게 잘 쌓지 못하면 빈틈이 생기기 쉽습니다.

〈왓츠 Grammar〉는 이러한 빈틈이 절대 생기지 않도록,
초등 교과 과정에서 반드시 배워야 하는 문법 사항을
누적·반복 학습이 가능한 나선형 커리큘럼으로 구성하였습니다.
또한, 갑자기 어려워지는 문제나 많은 문법 사항이 한꺼번에 나오지 않도록 **세심하게 난이도를 조정**하였습니다.

〈왓츠 Grammar〉는 처음 영어 문법을 배우는 아이들에게 자신감을 키워 줄 가장 좋은 선택이 될 것입니다.

지시대명사의 초등 ▸ 중등 ▸ 고등 차이 살펴보기

초등

What's **this**? 이것은 무엇이니? / **This** is my friend. 얘는 내 친구예요.

지시대명사 자체의 의미, 문장에서의 쓰임을 간결하게 다룹니다.

중등

[내신 기출] 다음 대화의 밑줄 친 부분 중 어법상 틀린 것은?

A: My favorite subject is math.
B: Really? I ① don't like math. It is difficult for me.
A: **That** ② **are(→ is)** not a problem. I can help you.
B: Thank you. You ③ get good grades in all subjects. Right?

[풀이] That은 '하나'를 가리키므로 뒤에 be동사 is가 와야 합니다.

여러 문법 항목들이 뒤섞인 문맥 안에서 지시대명사가 주어일 때 연결되는 동사까지 함께 파악할 수 있어야 합니다.

고등

[내신 기출] 잘못된 부분을 찾아 앞뒤 문맥에 맞게 고쳐 쓰시오.

People were always running up and down the stairs, and the television was left on all day. None of **this(→ these)** seemed to bother Kate's parents, they wandered around the house chatting with their kids and greeting their visitors.

[풀이] 여기서 지시대명사는 앞에 나온 내용 전체를 가리키고 있는데, '사람들이 계단을 오르락내리락 하는 것', '텔레비전이 하루 종일 켜져 있는 것' 두 가지를 가리키므로 '여럿'을 가리키는 these로 고쳐야 합니다.

지시대명사가 '사람, 사물'뿐만 아니라 문장 전체를 가리킬 수 있다는 확장된 문법 개념을 알아야 합니다.

Components 구성과 특징

Step 1 문법 개념 파악하기

셀 수 있는 명사

UNIT 1 I need two **potatoes**.

Step 1 명사가 하나보다 많을 때는 모양이 어떻게 바뀔까요?

명사는 사물이나 사람, 동물, 장소 등 모든 것들의 이름을 나타내는 말이에요. 명사는 하나, 둘 셀 수 있는 것과 셀 수 없는 것으로 나눌 수 있는데, 셀 수 있는 명사는 반드시 '단수(하나)'나 '복수(여럿)'로 나타내야 해요. 명사의 복수형은 대부분 명사 뒤에 -s를 붙이지만, 불규칙으로 변화하는 명사에 주의해야 해요.

+ 셀 수 있는 명사 +

사람	boy, girl, mom, teacher 등	동물/식물	dog, lion, flower, tree 등
물건	book, car, desk 등	장소	house, building, library 등

+ 셀 수 있는 명사의 단수와 복수 +

단수(하나)	a/an + 명사	a bus 버스 한 대	an apple 사과 한 개
복수(여럿)	명사 + -s/-es	bus es 버스들	apple s 사과들

- 한눈에 들어오는 표와 친절하고 자세한 설명을 통해 초등 필수 문법 개념을 쉽게 이해할 수 있어요.
- 문법을 처음 접하는 친구들도 충분히 이해할 수 있도록, 문법 항목을 한 번에 하나씩 공부해요.

Tip! 말풍선과 체크 부분을 놓치지 마세요.
헷갈리기 쉽거나 주의해야 할 내용을 담고 있어요.

Step 2 개념 적용하여 문제 풀기

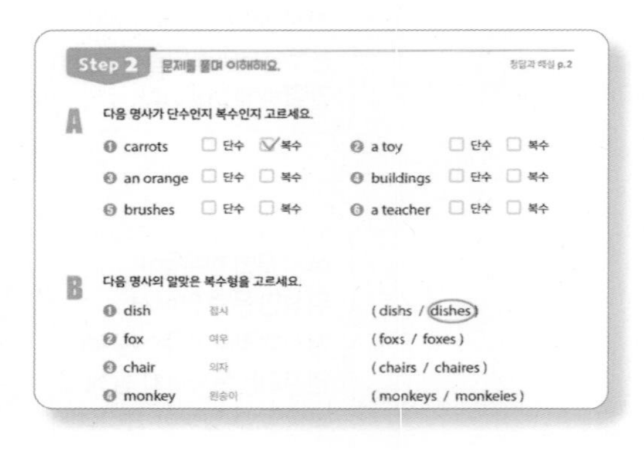
Step 2 문제를 풀며 이해해요. 정답과 해설 p.2

A 다음 명사가 단수인지 복수인지 고르세요.

❶ carrots ☐ 단수 ☑ 복수　❷ a toy ☐ 단수 ☐ 복수
❸ an orange ☐ 단수 ☐ 복수　❹ buildings ☐ 단수 ☐ 복수
❺ brushes ☐ 단수 ☐ 복수　❻ a teacher ☐ 단수 ☐ 복수

B 다음 명사의 알맞은 복수형을 고르세요.

❶ dish 접시 (dishs / dishes)
❷ fox 여우 (foxs / foxes)
❸ chair 의자 (chairs / chaires)
❹ monkey 원숭이 (monkeys / monkeies)

- 다양한 유형의 문제를 풀면서 문법의 기본 개념을 잘 이해했는지 확인해볼 수 있어요.
- 갑자기 어려운 문제가 등장하지 않도록, 세심하게 난이도를 조정했어요. 차근차근 풀어나가기만 하면 돼요.

Tip! 틀린 문제는 꼭 꼼꼼히 확인하세요.
친절하고 자세한 해설이 도와줄 거예요.

Step 3 문장에 적용 및 쓰기로 완성하기

Step 3 배운 내용을 문장에 적용해요. 정답과 해설 p.2

A 우리말에 맞게 주어진 단어를 배열하세요.

❶ 그는 말 다섯 마리가 있다. (he / horses / five / has)
→ He has five horses.
❷ 그녀는 복숭아 세 개를 원한다. (peaches / she / three / wants)
→
❸ 우리는 물고기 두 마리가 있다. (two / have / we / fish)
→
❹ 그 나뭇잎들은 노란색이다. (are / yellow / the leaves)
→
❺ 그들은 피아노 두 대가 필요하다. (need / they / pianos / two)
→

- 배운 문법을 문장에 적용하고 직접 써보세요. 문장 전체를 쓰는 연습을 통해 영어 문장 구조를 자연스럽게 학습할 수 있어요. 문법은 물론 서술형 문제도 이제 어렵지 않아요!

Tip! 어순에 유의하며 써보세요.
주어진 단어를 배열하여 문장을 완성하다보면
영어 문장에 대한 감을 익힐 수 있을 거예요.

Step 4 3단계 누적 연습문제로 완벽하게 복습하기

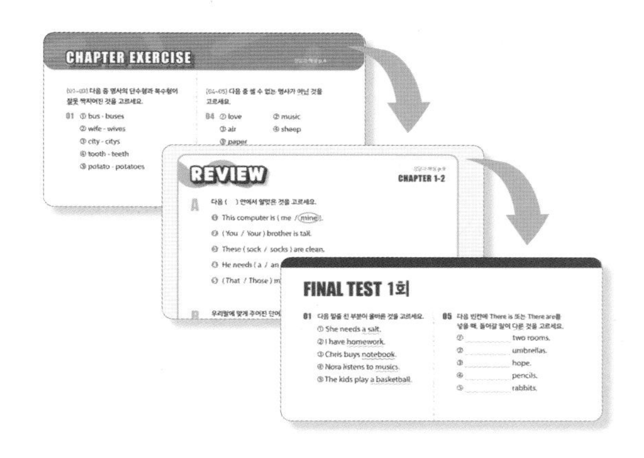

- **챕터별 연습문제 → 두 챕터씩 묶은 누적 REVIEW → FINAL TEST 2회분**
  3단계에 걸친 문제 풀이로 완벽하게 복습해요.

Tip! FINAL TEST 마지막 페이지에 있는 표를 활용해보세요.
틀린 문제가 어느 챕터에 해당하는지 확인하고,
나의 약점을 보완할 수 있어요.

틀린 문제가 어느 챕터에 해당하는지 확인하고, 복습해보세요.

1	2	3	4	5	6
Ch1	Ch1	Ch1	Ch1	Ch1	Ch2
11	12	13	14	15	16
Ch2	Ch3	Ch3	Ch3	Ch4	Ch4
21	22	23	24	25	26
Ch5	Ch5	Ch5	Ch5	Ch6	Ch6

Step 5 워크북 + 단어 쓰기 연습지로 마무리하기

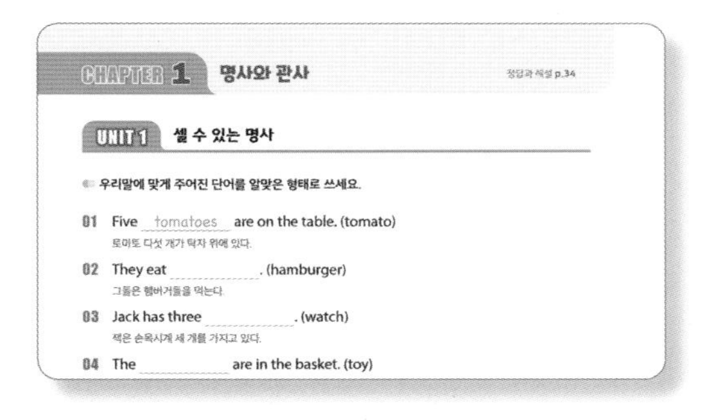

UNIT별 드릴 형식의 추가 문제와 문법을 문장에 적용해보는 Grammar in Sentences로 각 챕터에서 배운 내용을 충분히 복습해 보세요.

UNIT별 초등 필수 영단어를 한 번 더 확인하고, 따라 쓰는 연습을 해보세요. 단어의 철자와 뜻을 자연스럽게 외울 수 있어요.

자세한 풀이

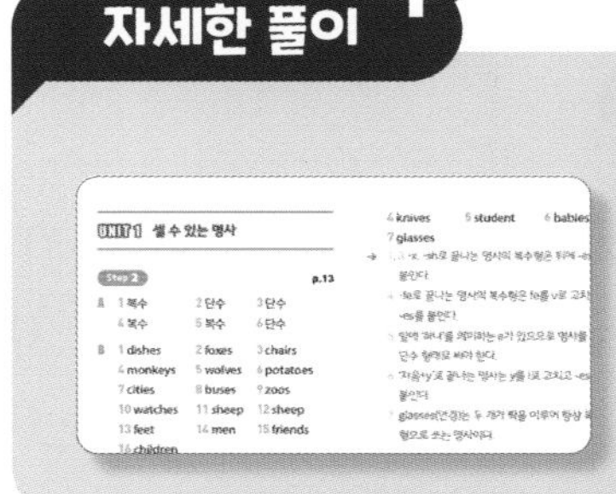

영어 문장의 우리말 뜻과 친절하고 자세한 해설을 수록하여 혼자서도 쉽고 재미있게 공부할 수 있어요.

무료 부가서비스

무료로 제공되는 부가서비스로 완벽히 복습하세요.
www.cedubook.com

① 단어 리스트 ② 단어 테스트

Contents 차례

Study Plan

★ 10주 완성!

주 5일 학습기준이며, 학습 패턴 및 시간에 따라 **Study Plan**을 조정할 수 있어요.

*CH = CHAPTER, U = UNIT

	1일차	2일차	3일차	4일차	5일차
1주차	CH1 U1 Step 1, Step 2	CH1 U1 Step 3, 워크북	CH1 U2 Step 1, Step 2	CH1 U2 Step 3, 워크북	CH1 U3 Step 1, Step 2
2주차	CH1 U3 Step 3, 워크북	CH1 Exercise	CH2 U1 Step 1, Step 2	CH2 U1 Step 3, 워크북	CH2 U2 Step 1, Step 2
3주차	CH2 U2 Step 3, 워크북	CH2 U3 Step 1, Step 2	CH2 U3 Step 3, 워크북	CH2 Exercise Review CH1-2	CH3 U1 Step 1, Step 2
4주차	CH3 U1 Step 3, 워크북	CH3 U2 Step 1, Step 2	CH3 U2 Step 3, 워크북	CH3 U3 Step 1, Step 2	CH3 U3 Step 3, 워크북
5주차	CH3 Exercise Review CH2-3	CH4 U1 Step 1, Step 2	CH4 U1 Step 3, 워크북	CH4 U2 Step 1, Step 2	CH4 U2 Step 3, 워크북
6주차	CH4 U3 Step 1, Step 2	CH4 U3 Step 3, 워크북	CH4 Exercise Review CH3-4	CH5 U1 Step 1, Step 2	CH5 U1 Step 3, 워크북
7주차	CH5 U2 Step 1, Step 2	CH5 U2 Step 3, 워크북	CH5 U3 Step 1, Step 2	CH5 U3 Step 3, 워크북	CH5 Exercise Review CH4-5
8주차	CH6 U1 Step 1, Step 2	CH6 U1 Step 3, 워크북	CH6 U2 Step 1, Step 2	CH6 U2 Step 3, 워크북	CH6 Exercise Review CH5-6
9주차	CH7 U1 Step 1, Step 2	CH7 U1 Step 3, 워크북	CH7 U2 Step 1, Step 2	CH7 U2 Step 3, 워크북	CH7 Exercise Review CH6-7
10주차	FINAL TEST 1회	FINAL TEST 2회			

Before You Start 알아두기

문장의 기본 요소

문장을 이루는 기본 요소는 주어와 동사예요.
동사의 의미와 성격에 따라 그 뒤에 목적어나 보어 등이 오기도 해요.
문장은 이러한 요소들이 규칙에 따라 각각의 자리에 쓰일 때 만들어져요.

문장을 이루는 기본 단위

주어	동사	목적어	보어
~은/는/이/가	~이다, ~을 하다	~을/를	~인, ~하는
명사, 대명사	be동사, 일반동사	명사, 대명사	형용사

주어 ☞ CHAPTER 1, 2

문장의 주인이 되는 말이에요. 명사나 대명사가 주어 역할을 해요.

The boy is my brother. 그 남자아이는 내 남동생이다.
(The boy: 주어)

동사 ☞ CHAPTER 3, 4

주어가 하는 행동이나 동작, 또는 주어의 상태를 나타내요.
동사 자리에는 be동사나 일반동사가 와요.

The students study English. 그 학생들은 영어를 공부한다.
(study: 동사)

목적어 ☞ CHAPTER 1, 2

동사가 나타내는 동작의 대상이 되는 말이에요. 명사나 대명사가 목적어 역할을 해요.
대명사를 쓸 경우, 반드시 목적격으로 써야 해요.

I like cats. 나는 고양이를 좋아한다.
(cats: 목적어(명사))

We know her. 우리는 그녀를 안다.
(her: 목적어(대명사))

보어 ☞ CHAPTER 1, 5

주어나 목적어의 상태를 나타내거나 의미를 보충해서 설명해줘요.
보어 자리에는 명사와 형용사가 올 수 있어요.

Jenny and I are friends. 제니와 나는 친구이다.
(Jenny and I: 주어 / friends: 보어 (주어 Jenny and I를 보충 설명))

We are happy. 우리는 행복하다.
(We: 주어 / happy: 보어 (주어 We의 상태))

명사와 관사

UNIT 1 **셀 수 있는 명사**

사람, 동물, 물건 등이 여럿일 때 알맞게 바꾸는 방법을 알아요.

I need two **potatoes**.

UNIT 2 **셀 수 없는 명사**

셀 수 없는 명사의 종류에 대해 알고, 셀 수 없는 명사의 수와 양을 나타내는 표현을 알맞게 쓸 수 있어요.

I want a glass of **water**.

UNIT 3 **a/an, the (관사)**

명사 앞에 관사가 필요할 때, 알맞은 관사를 쓸 수 있어요.

We live on **the** earth.

셀 수 있는 명사

I need two **potatoes.**

Step 1 명사가 하나보다 많을 때는 모양이 어떻게 바뀔까요?

명사는 사물이나 사람, 동물, 장소 등 모든 것들의 이름을 나타내는 말이에요. 명사는 하나, 둘 셀 수 있는 것과 셀 수 없는 것으로 나눌 수 있는데, 셀 수 있는 명사는 반드시 '단수(하나)'나 '복수(여럿)'로 나타내야 해요. 명사의 복수형은 대부분 명사 뒤에 -s를 붙이지만, 불규칙으로 변화하는 명사에 주의해야 해요.

+ 셀 수 있는 명사 +

사람	boy, girl, mom, teacher 등	동물/식물	dog, lion, flower, tree 등
물건	book, car, desk 등	장소	house, building, library 등

+ 셀 수 있는 명사의 단수와 복수 +

단수(하나)	a/an + 명사	a bus 버스 한 대	an apple 사과 한 개
복수(여럿)	명사 + -s/-es	buses 버스들	apples 사과들

+ 셀 수 있는 명사의 복수형 +

대부분의 명사	+ -s	cat → cats	book → books
-s, -sh, -ch, -x, -o로 끝나는 명사	+ -es	bus → buses watch → watches potato → potatoes *예외: piano → pianos	dish → dishes box → boxes photo → photos
'자음+y'로 끝나는 명사	y → -ies	baby → babies	city → cities
-f, -fe로 끝나는 명사	f, fe → -ves	leaf → leaves *예외: roof → roofs	knife → knives
불규칙	man → men tooth → teeth fish → fish	woman → women mouse → mice sheep → sheep	foot → feet child → children deer → deer

✔ 체크 '모음+y' 또는 '모음+o'로 끝나는 명사는 복수형에 -s를 붙이므로 주의하세요.
'모음+y'로 끝나는 명사: toys, boys, days, monkeys '모음+o'로 끝나는 명사: zoos, kangaroos

✔ 체크 두 개가 '짝'을 이루어서 항상 복수형으로 쓰는 명사
socks(양말), glasses(안경), scissors(가위), pants(바지), jeans(청바지)

Step 2 문제를 풀며 이해해요.

정답과 해설 p.2

A

다음 명사가 단수인지 복수인지 고르세요.

❶ carrots ☐ 단수 ☑ 복수

❷ a toy ☐ 단수 ☐ 복수

❸ an orange ☐ 단수 ☐ 복수

❹ buildings ☐ 단수 ☐ 복수

❺ brushes ☐ 단수 ☐ 복수

❻ a teacher ☐ 단수 ☐ 복수

B

다음 명사의 알맞은 복수형을 고르세요.

❶ dish 접시 (dishs / dishes)

❷ fox 여우 (foxs / foxes)

❸ chair 의자 (chairs / chaires)

❹ monkey 원숭이 (monkeys / monkeies)

❺ wolf 늑대 (wolfs / wolves)

❻ potato 감자 (potatos / potatoes)

❼ city 도시 (citys / cities)

❽ bus 버스 (buss / buses)

❾ zoo 동물원 (zoos / zooes)

❿ watch 손목시계 (watchs / watches)

⓫ sheep 양 (sheep / sheeps)

⓬ mouse 쥐 (mouses / mice)

⓭ foot 발 (foots / feet)

⓮ man 남자 (mans / men)

⓯ friend 친구 (friends / friendes)

⓰ child 아이 (childs / children)

C 다음 주어진 단어를 빈칸에 알맞은 형태로 쓰세요.

1. class — She has five ___classes___ today.
2. puppy — Jessica has two ________.
3. leg — Octopuses have eight ________.
4. scarf — My grandma has six ________.
5. bag — My sister has four ________.
6. deer — They have seven ________.
7. room — The house has three ________.
8. tooth — The baby has two ________.

D 다음 밑줄 친 부분을 바르게 고쳐 쓰세요.

1. I need five boxs. → ___boxes___
   나는 상자 다섯 개가 필요하다.
2. He has two sisteres. → ________
   그는 여자 형제가 두 명 있다.
3. She needs three brushs. → ________
   그녀는 붓 세 개가 필요하다.
4. Alice uses four knifes. → ________
   앨리스는 칼 네 개를 사용한다.
5. Jack is a students. → ________
   잭은 학생이다.
6. My aunt has two babys. → ________
   나의 이모는 아기가 두 명 있다.
7. My brother wears glass. → ________
   나의 형은 안경을 쓴다.

Step 3 배운 내용을 문장에 적용해요.

정답과 해설 p.2

A

우리말에 맞게 주어진 단어를 배열하세요.

❶ 그는 말 다섯 마리가 있다. (he / horses / five / has)

→ He has five horses.

❷ 그녀는 복숭아 세 개를 원한다. (peaches / she / three / wants)

→

❸ 우리는 물고기 두 마리가 있다. (two / have / we / fish)

→

❹ 그 나뭇잎들은 노란색이다. (are / yellow / the leaves)

→

❺ 그들은 피아노 두 대가 필요하다. (need / they / pianos / two)

→

B

**우리말에 맞게 주어진 단어를 이용하여 문장을 완성하세요.
(필요하면 단어의 형태를 바꾸세요.)**

❶ 그것들은 내 사진들이다. (my, they, are, photo)

→ They are my photos.

❷ Tony(토니)는 토마토 세 개가 있다. (three, has, tomato, Tony)

→

❸ 우리는 양 다섯 마리가 있다. (have, we, five, sheep)

→

❹ 그녀는 흰색 양말을 좋아한다. (likes, white, she, sock)

→

❺ 그는 아이들 일곱 명을 가르친다. (seven, teaches, child, he)

→

셀 수 없는 명사

UNIT 2 I want a glass of water.

Step 1 셀 수 없는 명사에는 어떤 것들이 있을까요?

셀 수 없는 명사는 형태가 없거나 모양이 일정하지 않아서 '하나, 둘, 셋...'하고 개수를 셀 수 없어요.
하지만 물질을 나타내는 셀 수 없는 명사는 담는 그릇이나 모양에 따라 수와 양을 표현할 수 있어요.

하나뿐인 이름이므로 첫 글자를 항상 대문자로 써요.

+ 셀 수 없는 명사 +

고유한 이름 (사람/장소/언어/요일/월 등)	Julie 줄리 English 영어	Seoul 서울 Sunday 일요일	Canada 캐나다 July 7월	
일정한 모양이 없는 것	bread 빵 air 공기 money 돈	butter 버터 sugar 설탕 homework 숙제	paper 종이 rice 쌀	water 물 hair 머리카락
만지거나 볼 수 없는 것	time 시간	love 사랑	health 건강	
운동/과목	soccer 축구	math 수학	music 음악	

✔ 체크 셀 수 없는 명사는 개수를 셀 수 없기 때문에 앞에 a나 an을 쓸 수 없고, 뒤에도 복수형을 만들 수 없어요.
a bread (X) homeworks (X)

✔ 체크 money(돈)는 셀 수 없는 명사인 것에 주의하세요.
coin(동전)과 bill(지폐)은 셀 수 있지만, 모든 종류의 돈을 포함하는 개념인 money는 셀 수 없어요.

복수형은 세는 단위에 -s 또는 -es를 붙여 나타내요.

+ 셀 수 없는 명사의 수와 양 +

a cup of / two cups of	컵[잔]	coffee 커피	tea 차 (뜨거운 음료)	
a glass of / two glasses of	잔	water 물	juice 주스	milk 우유 (차가운 음료)
a bottle of / two bottles of	병	water 물	juice 주스	
a slice[piece] of / two slices[pieces] of	조각	pizza 피자	cake 케이크	cheese 치즈
a sheet of / two sheets of	장	paper 종이		
a loaf of / two loaves of	덩어리	bread 빵		
a can of / two cans of	캔	soda 탄산음료		

✔ 체크 cake(케이크)와 pizza(피자)의 경우, 다음과 같은 표현에서는 셀 수 있는 명사로도 쓰여요.
bake **a cake**(케이크를 굽다), **a** birthday **cake**(생일 케이크), order **a pizza**(피자를 주문하다)

A

다음 ( ) 안에서 셀 수 없는 명사를 고르세요.

① (lemon / child / air)

② (orange / math / teacher)

③ (cow / soccer / bus)

④ (rice / flower / tiger)

⑤ (butter / eraser / baby)

⑥ (robot / hair / sheep)

⑦ (dish / money / table)

⑧ (salt / tree / house)

⑨ (shark / doctor / sugar)

⑩ (desk / man / music)

⑪ (chair / love / classroom)

⑫ (photo / France / box)

B

다음 ( ) 안에서 알맞은 것을 고르세요.

① I live in (a Seoul / Seoul). 나는 서울에 산다.

② She drinks (juice / juices). 그녀는 주스를 마신다.

③ I like (a science / science). 나는 과학을 좋아한다.

④ It is warm in (May / may). 5월에는 따뜻하다.

⑤ They need (paper / papers). 그들은 종이가 필요하다.

⑥ (A Lucy / Lucy) is my friend. 루시는 내 친구이다.

⑦ He needs (money / moneys). 그는 돈이 필요하다.

⑧ We eat (bread / breads) for breakfast. 우리는 아침 식사로 빵을 먹는다.

⑨ The boys play (a baseball / baseball). 그 남자아이들은 야구를 한다.

⑩ My sister likes (music / musics). 나의 누나는 음악을 좋아한다.

C 다음 보기에서 알맞은 말을 골라 문장을 완성하세요.

보기			
	cup / cups	slice / slices	loaf / loaves
	can / cans	bottle / bottles	sheet / sheets

❶ She drinks two ___cups___ of tea.
그녀는 차 두 잔을 마신다.

❷ We need three ________ of tuna.
우리는 참치 세 캔이 필요하다.

❸ He drinks a ________ of milk every day.
그는 매일 우유 한 병을 마신다.

❹ I eat two ________ of pizza.
나는 피자 두 조각을 먹는다.

❺ We need ten ________ of paper.
우리는 종이 열 장이 필요하다.

❻ She buys a ________ of bread.
그녀는 빵 한 덩어리를 산다.

D 다음 밑줄 친 부분을 바르게 고쳐 쓰세요.

❶ We want a peace. → ___peace___

❷ We need salts. → ________

❸ They want coffees. → ________

❹ I want a pieces of cake. → ________

❺ I drink two glass of milk. → ________

❻ Daniel does his homeworks. → ________

❼ She wants three slices of pizzas. → ________

Step 3 배운 내용을 문장에 적용해요.

정답과 해설 p.3

A

우리말에 맞게 주어진 단어를 배열하세요.

① Sally(샐리)는 프랑스에서 왔다. (is / France / Sally / from)

→ Sally is from France.

② 내 친구들은 눈을 좋아한다. (snow / friends / my / like)

→ ______________________

③ Kevin(케빈)은 긴 머리를 가지고 있다. (hair / long / Kevin / has)

→ ______________________

④ 나는 물 한 병이 필요하다. (need / of / a / water / I / bottle)

→ ______________________

⑤ 그는 매주 빵 세 덩어리를 먹는다. (of / eats / three / bread / he / loaves)

→ ______________________ every week.

B

**우리말에 맞게 주어진 단어를 이용하여 문장을 완성하세요.
(필요하면 단어를 추가하거나 단어의 형태를 바꾸세요.)**

① 나는 치즈 세 조각을 원한다. (I, three, of, want, cheese)

→ I want three pieces of cheese.

② 그들은 쌀이 필요하다. (need, they, a rice)

→ ______________________

③ 그녀의 생일은 8월이다. (is, in, birthday, her, august)

→ ______________________

④ 나의 할아버지는 골프를 치신다. (grandpa, plays, my, golfs)

→ ______________________

⑤ 그는 매일 탄산음료 두 캔을 마신다. (of, drinks, soda, two, he)

→ ______________________ every day.

a/an, the (관사)

UNIT 3 We live on the earth.

Step 1 a, an, the는 명사 앞에 어떻게 때 쓰는 걸까요?

a, an, the는 명사 앞에 쓰이는 말이에요.
a와 an은 특별히 정해지지 않은 명사 '하나'를 뜻하기 때문에 셀 수 있는 명사의 단수형 앞에만 쓸 수 있어요.
the는 주로 특정한 사람이나 사물을 말할 때 쓰며, '그'라는 의미를 나타내요.

+ a와 an의 쓰임 +

셀 수 없는 명사는 a나 an과 함께 쓸 수 없어요. a milk (X)

사람, 사물 등이 '하나'일 때	I have **a** brother. 나는 남자 형제가 한 명 있다.
특별히 정해지지 않은 '하나'	This is **a** train. 이것은 기차이다. *보통은 '하나의'라고 해석하지 않아요.
an + 모음(a, e, i, o, u) 발음으로 시작하는 단어	**an** ant 개미 / **an** eraser 지우개 / **an** igloo 이글루 **an** onion 양파 / **an** umbrella 우산

나머지 단어(자음 발음으로 시작하는 단어) 앞에는 모두 a를 써요.

✔ 체크 a와 an의 구분은 단어의 첫 철자가 아니라 발음인 것에 주의하세요.
a uniform(교복), a university(대학), an hour(시간)
[ju(유)] [ju(유)] [a(아)] *h가 발음 되지 않음

+ the의 쓰임 +

the는 셀 수 있는 명사, 셀 수 없는 명사 앞에 모두 쓰여요.

앞에 말한 명사를 다시 말할 때	I have a cat. **The** cat is cute. 나는 고양이가 한 마리 있다. 그 고양이는 귀엽다.
서로 알고 있는 것을 말할 때	Close **the** door. 그 문을 닫아라.
세상에 하나뿐인 것을 가리킬 때	**the** earth 지구 / **the** world 세상 / **the** sky 하늘 **the** sun 해 / **the** moon 달
악기 이름 앞에	play **the** piano 피아노를 연주하다
하루의 시간 앞에	in **the** morning/afternoon/evening 아침/오후/저녁에

+ a/an, the를 모두 쓰지 않는 경우 +

식사 이름	breakfast 아침 식사	lunch 점심 식사	dinner 저녁 식사
운동/과목 이름	soccer 축구	math 수학	science 과학
고유한 이름 (사람/장소/언어/요일/월 등)	Chris 크리스 Monday 월요일	Korea 한국 July 7월	Korean 한국어

Step 2 문제를 풀며 이해해요.

정답과 해설 p.4

A

다음 빈칸에 a 또는 an을 쓰거나, 필요 없으면 X를 쓰세요.

1. __a__ bag
2. ______ doctor
3. ______ butter
4. ______ flower
5. ______ umbrella
6. ______ water
7. ______ woman
8. ______ elephant
9. ______ onion
10. ______ oil
11. ______ pants
12. ______ photo
13. ______ apple
14. ______ children

B

다음 (   ) 안에서 알맞은 것을 고르세요.

1. I love (a / X) soccer. 나는 축구를 아주 좋아한다.
2. We live on (the / an) earth. 우리는 지구에 산다.
3. She likes (a / X) doughnuts. 그녀는 도넛을 좋아한다.
4. I eat noodles for (a / X) dinner. 나는 저녁 식사로 국수를 먹는다.
5. It is cold in (the / X) December. 12월에는 춥다.
6. My brother plays (the / a) violin. 내 남동생은 바이올린을 연주한다.
7. It is a bag. (The / X) bag is brown. 그것은 가방이다. 그 가방은 갈색이다.
8. The store closes in (the / X) evening. 그 가게는 저녁에 닫는다.
9. Look at (a / the) moon. It is very big. 달을 봐. 그것은 매우 커.
10. They have a car. (A / The) car is blue. 그들은 차가 있다. 그 차는 파란색이다.

C 다음 밑줄 친 부분을 바르게 고쳐 쓰세요.

1. Look at a sky. → the sky
2. It is an window. → ____________
3. They live in a igloo. → ____________
4. We have a puppies. → ____________
5. The museum is in the New York. → ____________
6. I have an umbrella. An umbrella is red. → ____________

D 우리말에 맞게 a, an, the를 넣어 문장을 완성하세요. (필요하지 않은 경우 X를 쓰세요.)

1. Ellen has ___an___ uncle. He is ___a___ painter.
   엘렌은 삼촌이 한 명 있다. 그는 화가이다.
2. They play ____________ flute.
   그들은 플루트를 연주한다.
3. Josh and Lily learn ____________ Korean.
   조쉬와 릴리는 한국어를 배운다.
4. Look at ____________ lake. It is beautiful.
   그 호수를 봐. 그것은 아름다워.
5. We have ____________ breakfast every day.
   우리는 매일 아침 식사를 한다.
6. Mr. Brown has ____________ son and ____________ daughter.
   브라운 씨는 아들 한 명과 딸 한 명이 있다.
7. ____________ owl is in the tree. ____________ owl is brown.
   부엉이 한 마리가 나무에 있다. 그 부엉이는 갈색이다.

Step 3 배운 내용을 문장에 적용해요.

정답과 해설 p.4

A

우리말에 맞게 주어진 단어를 배열하세요.

❶ 나는 오렌지 한 개가 필요하다 (orange / I / an / need)

→ I need an orange.

❷ 우리는 점심 식사로 피자를 먹는다. (pizza / we / lunch / eat / for)

→

❸ 내 남동생은 로봇 하나를 가지고 있다. (has / brother / a / my / robot)

→

❹ 태양이 매우 뜨겁다. (sun / very hot / is / the)

→

❺ 그는 오후에 TV를 본다. (watches / the / he / afternoon / TV / in)

→

B

우리말에 맞게 주어진 단어를 이용하여 문장을 완성하세요.
(필요하면 a, an, the를 추가하세요.)

❶ 하늘을 봐. (look at, sky)

→ Look at the sky.

❷ Alex(알렉스)는 햄스터 한 마리가 있다. (has, hamster, Alex)

→

❸ 그것은 문어이다. (is, it, octopus)

→

❹ 그녀는 아침에 피아노를 연주한다. (piano, plays, in, she, morning)

→

❺ 나는 사과 한 개를 가지고 있다. 그 사과는 달다 (I, apple, have, is, sweet)

→

CHAPTER EXERCISE

정답과 해설 p.4

[01~03] 다음 중 명사의 단수형과 복수형이 잘못 짝지어진 것을 고르세요.

01 ① bus - buses
② wife - wives
③ city - citys
④ tooth - teeth
⑤ potato - potatoes

02 ① leaf - leaves
② roof - roofs
③ deer - deer
④ woman - womans
⑤ peach - peaches

03 ① day - days
② box - boxes
③ dress - dresses
④ foot - foots
⑤ piano - pianos

[04~05] 다음 중 셀 수 없는 명사가 아닌 것을 고르세요.

04 ① love ② music
③ air ④ sheep
⑤ paper

05 ① coffee ② money
③ photo ④ math
⑤ homework

[06~08] 다음 주어진 단어를 이용하여 빈칸에 알맞은 형태로 쓰세요.

06 Scott has five ________________.
(watch)
스콧은 손목시계 다섯 개가 있다.

07 They need two ________________.
(dish)
그들은 접시 두 개가 필요하다.

08 He has three ________________.
(fish)
그는 물고기 세 마리가 있다.

[09~10] 다음 빈칸에 들어갈 수 없는 것을 고르세요.

09 Tom has two ________.

① kids ② bread
③ cars ④ pencils
⑤ cookies

10 I need a ________.

① fish ② table
③ hat ④ towel
⑤ tomatoes

[11~13] 다음 ( ) 안에서 알맞은 것을 고르세요.

11 I drink a (glass / piece) of milk.

12 They eat three (cans / slices) of pizza.

13 He wants two (loaf / loaves) of bread.

[14~16] 우리말에 맞게 ( ) 안에서 알맞은 것을 고르세요.

14 He needs (a / an) onion.
그는 양파가 하나 필요하다.

15 Jack has (a / X) violin.
잭은 바이올린이 하나 있다.

16 Jenny wears (jean / jeans) every day.
제니는 매일 청바지를 입는다.

[17~18] 다음 밑줄 친 부분이 잘못된 것을 고르세요.

17
① I know <u>Peter</u>.
② They need <u>salt</u>.
③ She lives in <u>japan</u>.
④ He wants <u>a banana</u>.
⑤ The two <u>men</u> are tall.

18
① I see <u>an ant</u>.
② We study <u>Chinese</u>.
③ I have <u>a brother</u>.
④ Cindy likes <u>science</u>.
⑤ He eats <u>a lunch</u> at 12.

[19~21] 다음 밑줄 친 부분을 바르게 고쳐 쓰세요.

19 We need five knifes.
우리는 칼 다섯 개가 필요하다.

→ ____________________

20 Brian has ten sheeps.
브라이언은 양 열 마리가 있다.

→ ____________________

21 I have a idea.
나는 아이디어가 하나 있다.

→ ____________________

22 다음 빈칸에 공통으로 들어갈 말로 알맞은 것을 고르세요.

· I want a ________ of cake.
· She eats a ________ of cheese.

① can ② cup
③ glass ④ sheet
⑤ piece

23 다음 빈칸에 a 또는 an이 들어갈 수 없는 것을 고르세요.

① I see ________ ant.
② It is ________ eraser.
③ We have ________ turtle.
④ Look at ________ sun.
⑤ She needs ________ egg.

24 다음 빈칸에 들어갈 말이 바르게 짝지어진 것을 고르세요.

· ________ moon is round.
· Kate sees ________ igloo.
· They play ________ baseball.

① The - a - a
② A - X - X
③ A - an - a
④ The - an - X
⑤ X - the - the

25 우리말에 맞게 주어진 단어를 이용하여 문장을 완성하세요.

그것은 인형이다. 그 인형은 귀엽다. (doll)

→ It is ________ ________.

________ ________ is cute.

대명사

UNIT 1 **인칭대명사 (주격/목적격)**

주격 대명사와 목적격 대명사를 문장에서 알맞은 자리에 쓸 수 있어요.

We like them.

UNIT 2 **인칭대명사 (소유격/소유대명사)**

소유격 대명사와 소유대명사를 구분하여 알맞은 형태로 쓸 수 있어요.

The bag is hers.

UNIT 3 **지시대명사와 지시형용사**

this/that, these/those의 다양한 쓰임을 알 수 있어요.

This is my friend.

인칭대명사 (주격/목적격)

UNIT 1 We like them.

Step 1 인칭대명사는 문장에서 어떻게 쓰일까요?

대명사는 사람, 사물, 동물 등의 명사를 대신해서 쓰는 말이에요.
크게 인칭대명사와 지시대명사로 나눌 수 있어요.
인칭대명사는 '사람(人)을 가리키는 대명사'란 뜻인데, 문장에서 주어 역할을 할 때(주격), 목적어 역할을 할 때(목적격), 소유의 의미를 가질 때(소유격) 단어의 모양이 각각 달라져요.

+ 주격과 목적격 +

		주격 (~은/는/이/가)	목적격 (~을/를)
단수 (하나)	1인칭	**I**(나는)	**me**(나를)
	2인칭	**you**(너는)	**you**(너를)
	3인칭	**he**(그는)/**she**(그녀는)/**it**(그것은)	**him**(그를)/**her**(그녀를)/**it**(그것을)
복수 (여럿)	1인칭	**we**(우리는)	**us**(우리를)
	2인칭	**you**(너희들은)	**you**(너희들을)
	3인칭	**they**(그들은, 그것들은)	**them**(그들을, 그것들을)

✓ 체크 **1인칭** = 나, 우리 / **2인칭** = 너, 너희들 / **3인칭** = 1인칭과 2인칭이 아닌 모든 사람과 동물, 사물

✓ 체크 you와 it은 주격과 목적격의 형태가 같으므로, 문장에서의 쓰임에 따라 구분해야 해요.
It is my dog. I love **it**. (그것은(주격) 내 개야. 나는 그것을(목적격) 정말 좋아해.)

+ 주격과 목적격의 쓰임 +

주격 주어 역할	**My uncle** is a scientist. **He** makes robots. 내 삼촌은 과학자이다. 그는 로봇을 만든다. **Jack and I** are friends. **We** are in the same class. 잭과 나는 친구이다. 우리는 같은 반이다.
목적격 목적어 역할	I have **two sisters**. I love **them**. 나는 언니가 두 명 있다. 나는 그들을 사랑한다. He knows **Sam and me**. He helps **us**. 그는 샘과 나를 안다. 그는 우리를 도와준다.

인칭대명사는 앞에 나온 명사를 뒤에 다시 언급할 때 사용해요.

✓ 체크 We는 'I(나)'를 꼭 포함하기 때문에 「____ and I (~와 나)」를 의미해요.

Step 2 문제를 풀며 이해해요.

정답과 해설 p.6

A

다음 빈칸에 알맞은 말을 쓰세요.

주격		목적격	
I	❶ 나는	❷	나를
❸	너는, 너희들은	you	❹
he	❺	❻	그를
❼	그녀는	her	❽
we	❾	❿	우리를
⓫	그들은, 그것들은	⓬	그들을, 그것들을
⓭	그것은	it	⓮

B

우리말에 맞게 빈칸에 알맞은 말을 쓰세요.

❶ 그것은 맛있다. → It is delicious.

❷ Mark(마크)는 그녀를 돕는다. → Mark helps ________.

❸ 너희들은 바쁘다. → ________ are busy.

❹ 내 친구들은 나를 좋아한다. → My friends like ________.

❺ 그녀는 내 이모이다. → ________ is my aunt.

❻ 우리는 그것들을 먹는다. → ________ eat ________.

❼ 그들은 너를 안다. → ________ know ________.

❽ 그는 우리를 가르친다. → ________ teaches ________.

C 다음 밑줄 친 부분을 대신해서 쓸 수 있는 대명사를 ( ) 안에서 고르세요.

1. James and Judy have a car. (They / Them)
2. We know the man. (he / him)
3. Ryan likes Cindy. (she / her)
4. My brother has a skateboard. (He / Him)
5. Mr. Robin teaches Kevin and me. (we / us)
6. He likes his blue T-shirt. (them / it)
7. Ms. Green is our English teacher. (She / Her)
8. Julie and I clean our classroom. (We / Us)

D 다음 밑줄 친 부분을 알맞은 대명사로 바꿔 빈칸에 쓰세요.

1. My dad buys flowers. 아빠는 꽃들을 구매하신다.
   → ___He___ buys flowers.
2. Adam and Brian are cooks. 아담과 브라이언은 요리사이다.
   → ________ are cooks.
3. You know the boy. 너는 그 남자아이를 안다.
   → You know ________.
4. David and I go to school. 데이비드와 나는 학교에 간다.
   → ________ go to school.
5. Kate loves her daughters. 케이트는 그녀의 딸들을 사랑한다.
   → ________ loves ________.
6. My brother cleans his room. 나의 형은 그의 방을 청소한다.
   → ________ cleans ________.

Step 3 배운 내용을 문장에 적용해요.

정답과 해설 p.6

A

우리말에 맞게 주어진 단어를 배열하세요.

1. 그들은 너를 좋아한다. (you / they / like)

→ They like you.

2. 우리는 그것들을 원한다. (them / want / we)

→

3. 그는 우리를 도와준다. (helps / us / he)

→

4. 나는 그를 가르친다. (him / teach / I)

→

5. 너희들은 정직하다. (honest / are / you)

→

B

우리말에 맞게 주어진 단어를 이용하여 문장을 완성하세요.
(필요하면 단어를 추가하세요.)

1. 그는 나를 기억한다. (remembers)

→ He remembers me.

2. 그녀는 남동생이 한 명 있다. (has, a brother)

→

3. 그것들은 거북이다. (are, turtles)

→

4. 나는 그것이 필요하다. (need)

→

5. 우리는 그녀를 방문한다. (visit)

→

인칭대명사 (소유격/소유대명사)

UNIT 2 The bag is **hers**.

Step 1 소유격과 소유대명사의 쓰임은 어떻게 다를까요?

소유격은 '~의'라는 뜻으로 「소유격+명사」의 형태로 쓰여 어떤 대상의 소유를 나타내요.
「소유격+명사」는 '~의 것'이라는 뜻의 소유대명사로 바꿔 쓸 수 있어요.

+ 소유격과 소유대명사 +

		소유격 (~의)	소유대명사 (~의 것)
단수 (하나)	1인칭	**my**(나의)	**mine**(나의 것)
	2인칭	**your**(너의)	**yours**(너의 것)
	3인칭	**his**(그의)/**her**(그녀의)/**its**(그것의)	**his**(그의 것)/**hers**(그녀의 것) *it은 소유대명사가 없어요.
복수 (여럿)	1인칭	**our**(우리의)	**ours**(우리의 것)
	2인칭	**your**(너희들의)	**yours**(너희들의 것)
	3인칭	**their**(그들의, 그것들의)	**theirs**(그들의 것, 그것들의 것)

+ 소유격과 소유대명사의 쓰임 +

소유격 + 명사 = 소유대명사	This is **his soccer ball.** 이것은 그의 축구공이다. The soccer ball is **his.** 그 축구공은 그의 것이다. **Their car** is new. 그들의 차는 새것이다. The new car is **theirs.** 그 새 차는 그들의 것이다.

소유격 뒤에는 '명사'가 오지만, 소유대명사 뒤에는 명사가 오지 않아요.

+ 명사의 소유격과 소유대명사 +

	소유격 (~의)	소유대명사 (~의 것)
명사 + 's	This is **Ted's pencil.** 이것은 테드의 연필이다. This is **my mom's ring.** 이것은 엄마의 반지이다.	The pencil is **Ted's.** 그 연필은 테드의 것이다. The ring is **my mom's.** 그 반지는 엄마의 것이다.

✔ 체크 -s로 끝나는 복수 명사의 소유격은 명사 뒤에 아포스트로피(')만 붙여요.
students' bags (학생들의 가방), **ladies'** room (여성용 화장실)

✔ 체크 불규칙 변화하는 복수 명사의 소유격은 뒤에 's를 붙여요. **children's** clothes (아동복)

정답과 해설 p.7

A 다음 빈칸에 알맞은 말을 쓰세요.

소유격		소유대명사	
❶ my	나의	❷	나의 것
our	❸	❹	우리의 것
❺	너의, 너희들의	yours	너의 것, 너희들의 것
❻	그의	his	❼
her	❽	❾	그녀의 것
its	그것의	-	-
❿	그들의, 그것들의	theirs	그들의 것, 그것들의 것

B 다음 ( ) 안에서 알맞은 것을 고르세요.

❶ I know (he / his) songs.

❷ (It / Its) tail is long.

❸ The shoes are (their / theirs).

❹ The car is (my aunt / my aunt's).

❺ They know (my / mine) name.

❻ (Nate' / Nate's) bag is green.

❼ (Your / Yours) house is beautiful.

❽ The eraser is (her / hers).

C 우리말에 맞게 빈칸에 알맞은 말을 쓰세요.

1. 그 셔츠는 그의 것이다. → The shirt is ___his___.
2. 이것은 내 우산이다. → This is ______ umbrella.
3. Dan(댄)의 머리는 길다. → ______ hair is long.
4. 그 휴대전화는 그녀의 것이다. → The cellphone is ______.
5. 그들은 우리 반 친구들이다. → They are ______ classmates.
6. 그 안경은 네 것이다. → The glasses are ______.
7. 그의 이름은 Noah(노아)이다. → ______ name is Noah.
8. 그들은 그들의 손을 씻는다. → They wash ______ hands.
9. 그녀의 양말은 노란색이다. → ______ socks are yellow.
10. 그는 Amy(에이미)의 오빠이다. → He is ______ brother.

D 우리말에 맞게 밑줄 친 부분을 바르게 고쳐 쓰세요.

1. We teacher is kind. 우리 선생님은 친절하시다. → ___Our___
2. The cap is my. 그 야구모자는 내 것이다. → ______
3. The notebook is your. 그 공책은 네 것이다. → ______
4. Hers daughter is a doctor. 그녀의 딸은 의사이다. → ______
5. The book is my sister. 그 책은 내 여동생의 것이다. → ______
6. These are theirs bags. 이것들은 그들의 가방들이다. → ______
7. The coat is him. 그 코트는 그의 것이다. → ______
8. Willy cats are white. 윌리의 고양이들은 흰색이다. → ______

Step 3 배운 내용을 문장에 적용해요.

정답과 해설 p.7

A

우리말에 맞게 주어진 단어를 배열하세요.

1. 그는 그들의 선생님이다. (is / he / teacher / their)

→ He is their teacher.

2. 그 케이크는 그의 것이다. (his / is / the cake)

→

3. 그것의 털은 부드럽다. (is / fur / its / soft)

→

4. Lucy(루시)의 손목시계는 멋지다. (watch / is / Lucy's / nice)

→

5. 나는 그녀의 언니의 이름을 기억한다. (sister's / remember / I / her / name)

→

B

우리말에 맞게 주어진 단어를 이용하여 문장을 완성하세요.
(필요하면 단어를 추가하거나 형태를 바꾸세요.)

1. Sam(샘)은 내 친구이다. (is, I, friend)

→ Sam is my friend.

2. 그 책상들은 그들의 것이다. (the desks, are, they)

→

3. 우리는 그의 영화들을 좋아한다. (we, like, he, movies)

→

4. Brad(브래드)의 고양이들은 사랑스럽다. (cats, are, lovely)

→

5. 우리 집은 파란색이다. (we, house, is, blue)

→

지시대명사와 지시형용사

UNIT 3 This is my friend.

Step 1 지시대명사와 지시형용사의 쓰임은 어떻게 다른가요?

this/that, these/those는 사람, 사물 등을 가리키는 지시대명사와
명사 앞에서 명사를 꾸며주는 지시형용사로 쓰여요.
지시대명사는 혼자서 쓰이지만, 지시형용사는 명사와 함께 쓰여요.

+ 지시대명사 +

단수 (하나)	**this** 이것, 이 사람	가까이 있는 대상을 가리킬 때	This is a rose. 이것은 장미야. This is my friend. 이 사람은 내 친구야.
	that 저것, 저 사람	멀리 떨어져 있는 대상을 가리킬 때	That is a camel. 저것은 낙타야. That is my teacher. 저분은 내 선생님이다.
복수 (여럿)	**these** 이것들, 이 사람들	가까이 있는 대상을 가리킬 때	These are tomatoes. 이것들은 토마토들이다. These are my parents. 이분들은 내 부모님이다.
	those 저것들, 저 사람들	멀리 떨어져 있는 대상을 가리킬 때	Those are clouds. 저것들은 구름들이다. Those are his brothers. 저 사람들은 그의 형들이다.

지시대명사는 사람을 소개할 때 자주 쓰여요.

체크 this/that은 '하나'를 가리키고, these/those는 '둘 이상'을 가리켜요.
This is **ducks**. (X) This is **a duck**. (O) These are **ducks**. (O)

+ 지시형용사 +

형용사란 명사를 꾸며주는 말이에요. ☞ CHAPTER 5

this + 단수 명사 이 ~	가까이 있는 대상을 가리킬 때	This **cellphone** is mine. 이 휴대전화는 내 것이다.
that + 단수 명사 저 ~	멀리 떨어져 있는 대상을 가리킬 때	That **boy** is my friend. 저 남자아이는 내 친구이다.
these + 복수 명사 이 ~들	가까이 있는 대상을 가리킬 때	These **boxes** are heavy. 이 상자들은 무겁다.
those + 복수 명사 저 ~들	멀리 떨어져 있는 대상을 가리킬 때	I know those **students**. 나는 저 학생들을 안다.

체크 glasses(안경), sunglasses(선글라스), socks(양말), pants(바지), scissors(가위)처럼 짝을 이루는 명사는 항상 복수형으로 쓰므로, 앞에 these/those를 써요.
these glasses (이 안경), **those** socks (저 양말)

Step 2 문제를 풀며 이해해요.

정답과 해설 p.7

A 다음 (   ) 안에서 알맞은 것을 고르세요.

1. (This / These) is my pencil.
2. (That / Those) are my uncles.
3. (This / These) trees are tall.
4. (That / Those) is a post office.
5. I like (this / these) song.
6. We know (that / those) players.

B 우리말에 맞게 보기에서 알맞은 말을 골라 쓰세요.

보기	this	that	these	those

1. 이 사람들은 나의 반 친구들이다.
   → These are my classmates.
2. 저 채소들은 신선하다.
   → ________ vegetables are fresh.
3. 이분은 내 할아버지이다.
   → ________ is my grandfather.
4. 저 아이는 Wilson(윌슨) 씨의 아들이다.
   → ________ kid is Mr. Wilson's son.
5. 그들은 저 방들을 청소한다.
   → They clean ________ rooms.
6. 이 양말은 귀엽다.
   → ________ socks are cute.

C 우리말에 맞게 밑줄 친 부분을 바르게 고쳐 쓰세요.

1. Those glass are mine. → Those glasses
   저 안경은 내 것이다.
2. This flowers are roses. → ____________
   이 꽃들은 장미이다.
3. That are her plates. → ____________
   저것들은 그녀의 접시들이다.
4. These watermelon is sweet. → ____________
   이 수박은 달다.
5. I like that singers. → ____________
   나는 저 가수를 좋아한다.
6. This are basketball players. → ____________
   이 사람들은 농구 선수들이다.

D 다음 밑줄 친 부분을 복수형으로 바꿔 쓰세요.

1. That bird is white. 저 새는 흰색이다.
   → Those birds are white.
2. This is my raincoat. 이것은 내 비옷이다.
   → ____________ are my raincoats.
3. That is a rock. 저것은 바위이다.
   → ____________ are rocks.
4. This house is beautiful. 이 집은 아름답다.
   → ____________ are beautiful.
5. I know that girl. 나는 저 여자아이를 안다.
   → I know ____________.
6. Jake likes this movie. 제이크는 이 영화를 좋아한다.
   → Jake likes ____________.

Step 3 배운 내용을 문장에 적용해요.

정답과 해설 p.8

A 우리말에 맞게 주어진 단어를 배열하세요.

1. 이 쿠키들은 맛있다. (are / cookies / these / delicious)

→ These cookies are delicious.

2. 이것은 그의 사진이다. (his / is / picture / this)

→ ____________________

3. 저 사람들은 Ted(테드)의 친구들이다. (Ted's / are / friends / those)

→ ____________________

4. 저 창문은 더럽다. (dirty / window / is / that)

→ ____________________

5. 이 손목시계는 비싸다. (this / expensive / watch / is)

→ ____________________

B 우리말에 맞게 주어진 단어를 이용하여 문장을 완성하세요. (필요하면 단어를 추가하거나 형태를 바꾸세요.)

1. 저 건물들은 높다. (that, building, are, tall)

→ Those buildings are tall.

2. 이 컴퓨터는 새것이다. (computer, is, new)

→ ____________________

3. 저것은 우리 집이다. (is, our, house)

→ ____________________

4. 이분들은 경찰관들이다. (this, are, police officer)

→ ____________________

5. 그는 이 색들을 좋아한다. (he, likes, this, color)

→ ____________________

CHAPTER EXERCISE

정답과 해설 p.8

[01~02] 다음 중 짝지어진 단어의 관계가 다른 것을 고르세요.

01 ① I - me ② you - you ③ he - him ④ they - their ⑤ it - it

02 ① my - mine ② your - yours ③ its - its ④ her - hers ⑤ their - theirs

[03~04] 다음 단어를 주격 대명사로 바꿀 때, 그 형태가 다른 것을 고르세요.

03 ① My sister ② The girl ③ Amy ④ The woman ⑤ The desk

04 ① The frog ② The bag ③ The chairs ④ The house ⑤ The tent

05 다음 빈칸에 her[Her]가 들어갈 수 없는 것을 고르세요.

① I love ___________.

② Tom visits ___________.

③ ___________ sister is smart.

④ ___________ likes cookies.

⑤ He knows ___________ name.

[06~09] 다음 (   ) 안에서 알맞은 것을 고르세요.

06 Look at the rainbow.
(It / They) has seven colors.
무지개를 좀 봐. 그것은 일곱 개의 색을 가지고 있어.

07 Betty is a singer.
(Her / Hers) songs are great.
베티는 가수이다. 그녀의 노래들은 훌륭하다.

08 (That / Those) are (you / your) glasses.
저것은 네 안경이다.

09 (This / These) toys are (him / his).
이 장난감들은 그의 것이다.

10 다음 밑줄 친 부분의 성격이 다른 것을 고르세요.

① This book is fun.

② That is my eraser.

③ These desks are new.

④ Those oranges are sweet.

⑤ That child is my brother.

[11~12] 다음 빈칸에 공통으로 들어갈 알맞은 말을 쓰세요.

11

· ________ is my pencil.
그것은 내 연필이다.

· I like ________.
나는 그것을 좋아한다.

12

· I am ________ best friend.
나는 그의 가장 친한 친구이다.

· The book is ________.
그 책은 그의 것이다.

[13~14] 다음 밑줄 친 부분이 올바른 것을 고르세요.

13 ① I like he.
② She helps my.
③ His cat is black.
④ We like hers songs.
⑤ Their go to school.

14 ① This books is mine.
② Those is his dog.
③ These doll are cute.
④ This are my friends.
⑤ That house is wonderful.

[15~19] 우리말에 맞게 밑줄 친 부분을 바르게 고쳐 쓰세요.

15 The building windows are green.
그 건물의 창문들은 초록색이다.

→ ________________

16 This is us classroom.
이것은 우리 교실이다.

→ ________________

17 I know Bens phone number.
나는 벤의 전화번호를 알고 있다.

→ ________________

18 Those boy are my classmates.
저 남자아이들은 내 반 친구들이다.

→ ________________

19 The notebooks are their.
그 공책들은 그들의 것이다.

→ ________________

20 다음 중 틀린 문장을 고르세요.

① It is my dad's car.
② That is Tom's ball.
③ These cup are his.
④ They are his friends.
⑤ This is Henry's ruler.

정답과 해설 p.9

A

다음 ( ) 안에서 알맞은 것을 고르세요.

❶ This computer is (me / mine).

❷ (You / Your) brother is tall.

❸ These (sock / socks) are clean.

❹ He needs (a / an) alarm clock.

❺ (That / Those) man is a police officer.

B

우리말에 맞게 주어진 단어를 알맞은 형태로 바꿔 쓰세요.

❶ The shoes are ___hers___. (she) 그 신발은 그녀의 것이다.

❷ This is ________ cat. (Lily) 이것은 릴리의 고양이다.

❸ We meet ________ every day. (he) 우리는 매일 그를 만난다.

❹ ________ are happy. (that, child) 저 아이들은 행복하다.

❺ ________ are sweet. (this, cookie) 이 쿠키들은 달다.

C

다음 밑줄 친 부분을 바르게 고쳐 쓰세요.

❶ This cap is <u>my sister</u>. → ___my sister's___
이 야구모자는 내 여동생의 것이다.

❷ I like yellow <u>leafs</u>. → ________
나는 노란색 나뭇잎들을 좋아한다.

❸ He eats <u>the breakfast</u> at 7:30. → ________
그는 7시 30분에 아침을 먹는다.

be동사

UNIT 1 **be동사의 쓰임**

주어에 따라 알맞은 be동사를 쓸 수 있어요.

I am from Canada.

UNIT 2 **be동사의 부정문과 의문문**

be동사를 이용하여 '~이 아니다'와 '~이니?'를 나타내는 문장을 만들 수 있어요.

Are you sure?

UNIT 3 **There is와 There are**

There와 be동사를 이용하여 '~이 있다'를 나타내는 문장을 만들 수 있어요.

There are books on the desk.

be동사의 쓰임

I am from Canada.

Step 1 be동사가 쓰인 문장에 대해 알아볼까요?

be동사는 am, are, is이며 뒤에 오는 말에 따라 '~이다, (어떠)하다, ~(에) 있다'라는 의미를 나타내요. 이때 주어에 따라 알맞은 be동사를 쓸 수 있어야 해요.

+ 대명사 주어 + be동사 +

단수 (하나)	복수 (여럿)
I am = I'm	We are = We're
You(너) are = You're	You(너희들) are = You're
She/He/It is = She's/He's/It's	They are = They're
This is	These are
That is = That's	Those are

주격 대명사와 be동사는 줄여 쓸 수 있어요.

That is는 That's로 줄여 쓸 수 있지만, This is는 줄여 쓸 수 없어요.

+ 명사 주어 + be동사 +

단수 명사	+ is	The horse is brown. 그 말은 갈색이다. This book is fun. 이 책은 재미있다.
복수 명사	+ are	The buildings are tall. 그 건물들은 높다. Those pencils are mine. 저 연필들은 내 것이다.

✔ 체크 셀 수 없는 명사 주어 뒤에는 항상 be동사 is가 쓰여요.
The bread is soft. (그 빵은 부드럽다.)

+ be동사의 뜻 +

be동사 + 명사	~이다	He is a painter. 그는 화가이다. (주어의 직업/이름 등)
be동사 + 형용사	(어떠)하다	I am happy. 나는 행복하다. (주어의 기분/상태 등)
be동사 + 장소	~(에) 있다	The toys are in the box. 장난감들은 상자 안에 있다. Tom is from Canada. 톰은 캐나다 출신이야.

be from ~은 '~에서 오다, ~출신이다'라는 의미예요.

✔ 체크 형용사는 명사를 꾸며주거나 명사의 상태의 설명해주는 말이에요. (☞ CHAPTER 5)
big(큰), small(작은), happy(행복한), angry(화가 난), sad(슬픈), hungry(배고픈), pretty(예쁜) 등

Step 2 문제를 풀며 이해해요.

정답과 해설 p.9

A

다음 문장에서 be동사를 찾아 동그라미하고, 알맞은 뜻을 고르세요.

1. His hair is long. ☐ ~이다 ☑ (어떠)하다 ☐ ~(에) 있다
2. Those men are pilots. ☐ ~이다 ☐ (어떠)하다 ☐ ~(에) 있다
3. The streets are clean. ☐ ~이다 ☐ (어떠)하다 ☐ ~(에) 있다
4. A spider is on the wall. ☐ ~이다 ☐ (어떠)하다 ☐ ~(에) 있다

B

다음 ( ) 안에서 알맞은 것을 고르세요.

1. It (is / are) a fan.
2. I (am / is) in my room.
3. She (am / is) at home.
4. You (is / are) a good singer.
5. They (is / are) my grandparents.
6. We (is / are) in the same class.
7. This (is / are) a sunflower.
8. He and I (am / are) eleven years old.
9. The water (am / is) cold.
10. The gloves (is / are) mine.
11. That woman (is / are) a doctor.
12. The actor (is / are) famous.
13. These cookies (is / are) delicious.
14. The books (is / are) on the desk.

C 다음 빈칸에 알맞은 be동사를 쓰세요.

1. Jeju ___is___ an island. 제주는 섬이다.
2. I ________ a firefighter. 나는 소방관이다.
3. Their son ________ busy. 그들의 아들은 바쁘다.
4. They ________ in the garden. 그들은 정원에 있다.
5. She ________ a science teacher. 그녀는 과학 선생님이다.
6. My glasses ________ new. 내 안경은 새것이다.
7. Mr. Smith ________ from the U.S. 스미스 씨는 미국에서 왔다.
8. These fruits ________ fresh. 이 과일들은 신선하다.
9. My cat ________ under the sofa. 내 고양이는 소파 아래에 있다.

D 다음 밑줄 친 부분을 바르게 고쳐 쓰세요.

1. His aunt are a dentist. → ___is___
2. I'am sleepy now. → ________
3. The children is polite. → ________
4. That notebook are Kate's. → ________
5. Brandy and I am dancers. → ________
6. His name are Paul White. → ________
7. The letters is in the box. → ________
8. These movies is interesting. → ________

Step 3 배운 내용을 문장에 적용해요.

정답과 해설 p.10

A 우리말에 맞게 주어진 단어를 배열하세요.

1. 지구는 아름답다. (is / the earth / beautiful)

→ The earth is beautiful.

2. 나의 삼촌들은 제빵사이다. (bakers / uncles / are / my)

→

3. 이 영화는 지루하다. (boring / movie / this / is)

→

4. Noah(노아)는 나의 반 친구이다. (classmate / is / Noah / my)

→

5. 동전들이 내 주머니 안에 있다. (in my pocket / the coins / are)

→

B 우리말에 맞게 주어진 단어를 이용하여 문장을 완성하세요. (필요하면 단어를 추가하거나 형태를 바꾸세요.)

1. 저 스웨터들은 부드럽다. (be, sweaters, soft)

→ Those sweaters are soft.

2. 그들은 식당에 있다. (be, in the restaurant)

→

3. 네 장갑은 소파 위에 있다. (be, gloves, on the sofa)

→

4. 그녀와 나는 열두 살이다. (be, and, twelve years old)

→

5. 저 남자아이는 내 남동생이다. (be, boy, brother)

→

be동사의 부정문과 의문문

UNIT 2 Are you sure?

Step 1 be동사의 부정문과 의문문에 대해 알아볼까요?

'~이 아니다'라는 뜻을 나타내려면 be동사 바로 뒤에 not을 붙이고,
'~이니?'라고 묻는 문장을 만들 때는 주어와 be동사의 순서만 바꿔주면 돼요.

+ be동사의 부정문: am/are/is + not +

am not은 줄여 쓸 수 없는 것에 주의하세요.

	주어	be동사 + not	be동사 + not 줄임말	주어 + be동사 줄임말
단수 (하나)	I	am not	X	I'm not
	You(너)	are not	aren't	You're not
	He/She/It	is not	isn't	He's/She's/It's not
	This/That	is not	isn't	That's not
복수 (여럿)	We/You(너희들)/They	are not	aren't	We're/You're/They're not
	These/Those	are not	aren't	-

+ be동사의 의문문: Am/Are/Is + 주어 ~? +

	질문	Yes로 대답 (긍정) 응, 그래.	No로 대답 (부정) 아니, 그렇지 않아.
단수 (하나)	Am I ~?	Yes, you are.	No, you aren't.
	Are you(너) ~?	Yes, I am.	No, I'm not.
	Is he/she ~?	Yes, he/she is.	No, he/she isn't.
	Is it/this/that ~?	Yes, it is.	No, it isn't.
복수 (여럿)	Are we ~?	Yes, you are.	No, you aren't.
	Are you(너희들) ~?	Yes, we are.	No, we aren't.
	Are they ~?	Yes, they are.	No, they aren't.
	Are these/those ~?		

✓ 체크 No로 대답할 때는 'be동사+not'의 줄임말을 쓰지만, Yes로 대답할 때는 줄임말을 쓰지 않아요.
Yes, **he's**. (X) No, he **isn't**. (O)

✓ 체크 주어가 명사인 질문에 대답할 때는 주어를 알맞은 대명사로 바꿔 대답해야 해요.
Q: **Is your sweater** new? (네 스웨터는 새것이니?) A: Yes, **it is**. (응, 그래.) / No, **it isn't**. (아니, 그렇지 않아.)

정답과 해설 p.10

A

다음 (   ) 안에서 알맞은 것을 고르세요.

❶ It (is not / are not) a rose.

❷ He (is not / are not) a farmer.

❸ Nate (is not / am not) hungry.

❹ The water (isn't / aren't) hot.

❺ Those socks (is not / are not) mine.

❻ We (is not / are not) in the library.

❼ Ben and Tony (isn't / aren't) students.

❽ The book (is not / are not) interesting.

B

다음 (   ) 안에서 알맞은 것을 고르세요.

❶ (Is / Are) you angry?

❷ (Am / Are) I wrong?

❸ (Is / Are) the dog theirs?

❹ (Is / Are) these snacks spicy?

❺ (Is / Are) they from England?

❻ (Is / Are) this your pencil case?

❼ (Is / Are) that woman your teacher?

❽ (Is / Are) the boys in the playground?

C 우리말에 맞게 빈칸에 알맞은 말을 넣어 문장을 완성하세요.

1. The test ___is___ ___not___ difficult.
   그 시험은 어렵지 않다.
2. The rooms ________ ________ clean.
   그 방들은 깨끗하지 않다.
3. This airport ________ ________ large.
   이 공항은 크지 않다.
4. Q ________ she a pilot? A Yes, ________ ________.
   그녀는 비행기 조종사니? 응, 그래.
5. Q ________ the game fun? A No, ________ ________.
   그 게임은 재미있니? 아니, 그렇지 않아.
6. Q ________ the bags heavy? A Yes, ________ ________.
   그 가방들은 무겁니? 응, 그래.

D 다음 문장을 괄호 안의 지시대로 바꿔 쓰세요.

1. Your brothers are tall. 네 형들은 키가 크다.
   → (의문문) Are your brothers tall?
2. Her cat is on the desk. 그녀의 고양이는 책상 위에 있다.
   → (부정문) ________________________
3. This pizza is delicious. 이 피자는 맛있다.
   → (의문문) ________________________
4. Those are our bikes. 저것들은 우리의 자전거들이다.
   → (부정문) ________________________

Step 3 배운 내용을 문장에 적용해요.

정답과 해설 p.11

A 우리말에 맞게 주어진 단어를 배열하세요.

❶ 그는 목이 마르지 않다. (not / he / thirsty / is)

→ He is not thirsty.

❷ 이것은 네 앨범이니? (album / this / your / is)

→

❸ 그녀는 학교에 늦지 않는다. (not / for school / is / late / she)

→

❹ Sally(샐리)와 Jane(제인)은 동물원에 있니? (at the zoo / Sally and Jane / are)

→

❺ 이 의자들은 튼튼하지 않다. (strong / are / these / not / chairs)

→

B 우리말에 맞게 주어진 단어를 이용하여 문장을 완성하세요. (필요하면 단어를 추가하거나 형태를 바꾸세요.)

❶ 그 창문은 열려 있니? (be, open, the window)

→ Is the window open?

❷ 그의 고모는 가수가 아니다. (be, aunt, a singer)

→

❸ 이 휴대전화는 네 것이니? (be, yours, cellphone)

→

❹ 그 아이들은 나무 아래에 있니? (be, under the tree, the children)

→

❺ 저 선수들은 피곤하지 않다. (be, tired, players)

→

There is와 There are

There are books on the desk.

Step 1 There is와 There are는 어떻게 쓰이는지 알아볼까요?

There is/There are는 '~이 있다'라는 의미를 나타낼 때 사용해요.
There is 뒤에는 단수 명사 또는 셀 수 없는 명사가, There are 뒤에는 복수 명사가 와요.
이때 There는 따로 우리말로 해석하지 않는 것에 주의하세요.

+ There is/are: ~이 있다 +

There is **a/an + 단수 명사**	There is **a cookie** on the plate. 접시에 쿠키가 하나 있다.
There is **+ 셀 수 없는 명사**	There is **some water** in the bottle. 병에 약간의 물이 있다.
There are **+ 복수 명사**	There are **three rabbits** in the garden. 정원에 세 마리의 토끼들이 있다.

is/are 뒤에 오는 명사가 진짜 주어이므로 어떤 명사인지에 따라 be동사의 모양이 결정돼요.

✓체크 「There is/are+명사」 뒤에는 보통 장소나 위치를 나타내는 말이 와요. (☞ CHAPTER 7)
in(~ 안에), on(~ 위에), under(~ 아래에) 등

✓체크 There is/are 뒤에는 명사의 수나 양을 나타내는 표현인 some, many 등이 함께 자주 쓰여요. (☞ CHAPTER 5)
some(약간의, 조금, 몇몇)**+복수 명사/셀 수 없는 명사**
many(많은)**+복수 명사**

+ There is/are의 부정문: ~이 없다 +

There is **+** not	There is not(= isn't) **a chair** in the room. 방에 의자가 없다.
There are **+** not	There are not(= aren't) **chairs** in the room. 방에 의자들이 없다.

+ There is/are의 의문문: ~이 있니? +

Is there **~?**	**Q:** Is there **a hat** in the box? 상자 안에 모자가 있니? **A:** Yes, there is. 응, 있어. / No, there isn't. 아니, 없어.
Are there **~?**	**Q:** Are there **plates** on the table? 테이블 위에 접시들이 있니? **A:** Yes, there are. 응, 있어. / No, there aren't. 아니, 없어.

정답과 해설 p.11

A

다음 ( ) 안에서 알맞은 것을 고르세요.

1. There (is / are) some bread on the table.
   탁자 위에 약간의 빵이 있다.
2. There (is / are) four chairs in the kitchen.
   부엌에 네 개의 의자가 있다.
3. There (is / are) many stars in the sky.
   하늘에 많은 별들이 있다.
4. There (is / are) some juice in the bottle.
   병에 약간의 주스가 있다.
5. There (is / are) ten oranges in the basket.
   바구니에 오렌지 열 개가 있다.
6. There (is not / are not) a sofa in the living room.
   거실에 소파가 없다.
7. There (is / are) some foxes in the zoo.
   동물원에 몇몇 여우들이 있다.
8. There (is / are) five students in the classroom.
   교실에 다섯 명의 학생이 있다.

B

다음 빈칸에 알맞은 말을 넣어 대화를 완성하세요.

1. Q Is there a computer in the room? A Yes, there is.
2. Q ______ there paper on the desk? A No, there ______.
3. Q ______ there flowers in the garden? A Yes, there ______.
4. Q ______ there a lion under the tree? A Yes, there ______.
5. Q ______ there three books in the box? A No, there ______.

C 우리말에 맞게 주어진 단어를 이용하여 문장을 완성하세요.

❶ 벽에 몇몇 사진들이 있다. (picture)

→ There ___are___ some ___pictures___ on the wall.

❷ 하늘에 풍선 하나가 있다. (balloon)

→ There ________ a ________ in the sky.

❸ 그 정원에는 벤치가 두 개 있니? (bench)

→ ________ there two ________ in the garden?

❹ 식탁 위에 양파가 한 개 있니? (onion)

→ ________ there an ________ on the table?

❺ 그 집에는 방이 세 개 있다. (room)

→ There ________ three ________ in the house.

D 다음 밑줄 친 부분을 바르게 고쳐 쓰세요.

❶ There is some eggs. → ___are___

❷ There are some milk. → ________

❸ There is many restaurants. → ________

❹ There is five bananas on the table. → ________

❺ Are there an owl in the tree? → ________

❻ There is many animals in the zoo. → ________

❼ There are some coffee in the cup. → ________

❽ There are nine child in the park. → ________

Step 3 배운 내용을 문장에 적용해요.

정답과 해설 p.12

A 우리말에 맞게 주어진 단어를 배열하세요.

❶ 책상 위에 지우개가 세 개 있다. (erasers / are / three / there)

→ There are three erasers ________ on the desk.

❷ 버스 정류장이 있나요? (there / a bus stop / is)

→ ________

❸ 내 방에는 거울이 두 개 있다. (two / are / mirrors / there)

→ ________ in my room.

❹ 그의 주머니에는 약간의 돈이 있다. (some / there / is / money)

→ ________ in his pocket.

❺ 공원에 많은 나무들이 있니? (trees / there / many / are)

→ ________ in the park?

B 우리말에 맞게 there와 주어진 단어를 이용하여 문장을 완성하세요. (필요하면 단어의 형태를 바꾸세요.)

❶ 약간의 설탕이 있니? (be, sugar, some)

→ Is there some sugar?

❷ 내 가방 안에는 책이 없다. (be, a book)

→ ________ in my bag.

❸ 그 동물원에는 판다 두 마리가 있니? (be, two, panda)

→ ________ in the zoo?

❹ 무대 위에 많은 가수들이 있다. (be, singer, many)

→ ________ on the stage.

❺ 벽에 개미 네 마리가 있다. (be, four, ant)

→ ________ on the wall.

CHAPTER EXERCISE

정답과 해설 p.12

[01~02] 다음 주어와 be동사가 잘못 짝지어진 것을 고르세요.

01 ① It - is ② I - am ③ That - is ④ She - is ⑤ They - is

02 ① The house - is
② My pencil - is
③ This car - are
④ Her son - is
⑤ Those boxes - are

[03~04] 다음 빈칸에 들어갈 수 없는 것을 고르세요.

03 __________ is kind.

① My sister ② He ③ The boys ④ She ⑤ The doctor

04 __________ are clean.

① Water ② My shoes ③ The rooms ④ The stores ⑤ The windows

05 다음 밑줄 친 부분을 줄임말로 쓸 수 없는 것을 고르세요.

① It is not mine.
② I am not sad.
③ You are not lazy.
④ They are not nurses.
⑤ He is not my teacher.

06 다음 빈칸에 is를 쓸 수 없는 것을 고르세요.

① Jen __________ a cook.
② The dog __________ cute.
③ The boy __________ tall.
④ My aunts __________ busy.
⑤ That man __________ American.

[07~09] 다음 밑줄 친 부분을 바르게 고쳐 쓰세요.

07 It not is my backpack.
그것은 내 책가방이 아니다.

➔ __________________

08 Are Lisa your student?
리사는 당신의 학생인가요?

➔ __________________

09 There is many bees in the garden.
정원에 많은 벌들이 있다.

➔ __________________

[10~13] 다음 빈칸에 알맞은 말을 넣어 대화를 완성하세요.

10

Q ________ Ted in England?

A No, he ________ .

11

Q ________ those his parents?

A Yes, they ________ .

12

Q ________ there a ball on the desk?

A Yes, there ________ .

13

Q ________ your brothers soccer players?

A No, they ________ .

14 다음 중 올바른 문장을 고르세요.

① It not is my bag.

② I'm not a baker.

③ My hands is dirty.

④ Is the shoes new?

⑤ She're not at home.

15 다음 밑줄 친 부분이 잘못된 것을 고르세요.

① There is a piano.

② There is some cats.

③ There are two girls.

④ There is some milk.

⑤ There are many flowers.

16 다음 빈칸에 들어갈 수 없는 것을 고르세요.

There are some ________ .

① taxis ② women

③ water ④ spoons

⑤ boys

[17~18] 다음 문장을 부정문으로 바꾸세요.

17 The story is interesting.

→ ______________________

____

18 These glasses are yours.

→ ______________________

____

[19~20] 다음 문장을 의문문으로 바꾸세요.

19 Amy and Kate are friends.

→ ______________________

____

20 There is a box on the table.

→ ______________________

____

REVIEW

정답과 해설 p.13

CHAPTER 2-3

A

다음 (   ) 안에서 알맞은 것을 고르세요.

❶ The movie (is / are) interesting.

❷ I know (his / hers) brother.

❸ Those (is / are) my classmates.

❹ There (is / are) a piano on the stage.

❺ My sister plays basketball. (He / She) is tall.

❻ David has new shoes. He likes (it / them).

B

우리말에 맞게 보기의 단어를 이용하여 문장을 완성하세요.

보기				
is	are	that	these	those
my	yours	her	there	not

❶ There are five boys in the playground.
운동장에 다섯 명의 남자아이들이 있다.

❷ ________ ________ ________ bag.
저것은 내 가방이다.

❸ Are ________ pencils ________?
이 연필들은 네 것이니?

❹ ________ ________ ________ puppies.
저것들은 그녀의 강아지들이다.

❺ ________ sister ________ ________ in the library now.
나의 언니는 지금 도서관에 있지 않다.

일반동사

UNIT 1 **일반동사의 현재형**

일반동사의 현재형이 언제 쓰이는지 알고, 주어에 알맞은 형태를 쓸 수 있어요.

He **gets up** early.

UNIT 2 **일반동사 현재형의 부정문**

do not과 does not을 이용하여 '~하지 않다'라는 의미를 나타낼 수 있어요.

He **doesn't get up** early.

UNIT 3 **일반동사 현재형의 의문문**

do와 does를 사용하여 일반동사로 묻고 답하는 문장을 만들 수 있어요.

Does he **get up** early**?**

일반동사의 현재형

He gets up early.

Step 1 일반동사의 현재형은 문장에서 어떻게 쓰일까요?

일반동사는 주어의 동작이나 상태를 나타내는 동사예요. be동사(am, are, is), 조동사(can, may 등)와 구분하기 위해 쓰는 말이에요. 주어가 3인칭 단수일 때는 동사의 뒤에 -s 또는 -es를 붙이므로 주의해야 해요.

+ 일반동사의 현재형을 쓰는 경우 +

현재의 사실이나 상태	I **have** a sister. 나는 언니가 한 명 있다.
반복적인 습관	I **eat** breakfast every day. 나는 매일 아침을 먹는다.
과학적 또는 일반적인 사실	The sun **rises** in the east. 태양은 동쪽에서 뜬다.

✓체크 현재의 상태나 습관을 나타낼 때 now(지금), today(오늘), every day(매일) 등의 표현과 자주 함께 쓰여요.

+ 일반동사의 현재형 +

주어가 I / You / We / They 또는 복수 명사일 때	주어가 He / She / It 또는 단수 명사일 때 = 3인칭 단수 주어
동사 모양 그대로 (동사원형)	대부분 동사 뒤에 + -s
I **get up** at 7:00. 나는 7시에 일어난다.	He **gets up** at 7:00. 그는 7시에 일어난다.

+ 일반동사의 3인칭 단수 현재형 +

대부분의 동사	+ -s	like → likes	eat → eats
-s, -sh, -ch, -x, -o로 끝나는 동사	+ -es	pass → passes watch → watches go → goes	wash → washes mix → mixes do → does
'자음+y'로 끝나는 동사	y → ies	cry → cries	study → studies
'모음+y'로 끝나는 동사	+ -s	play → plays buy → buys	say → says enjoy → enjoys
have	has	have → has	

동사 have는 '가지고 있다, 먹다'라는 의미로 쓰여요.

정답과 해설 p.13

A

다음 문장에서 일반동사를 찾아 동그라미하고, 알맞은 뜻을 고르세요.

❶ We (have) two computers. ☐ 팔다 ☑ 가지고 있다

❷ Roy does his homework. ☐ 하다 ☐ 공부하다

❸ The sun rises in the east. ☐ 지다 ☐ 떠오르다

❹ Brian studies French. ☐ 공부하다 ☐ 말하다

❺ The children wash their hands. ☐ 씻다 ☐ 보다

❻ Mr. Smith teaches math. ☐ 배우다 ☐ 가르치다

❼ My mom works at a bank. ☐ 일하다 ☐ 가다

❽ The shopping mall closes at 9. ☐ 닫다 ☐ 열다

B

다음 (　) 안에서 알맞은 것을 고르세요.

❶ (Sam and Judy / (Judy)) **speaks** Korean.

❷ (Our dog / Our dogs) **like** toys.

❸ (They / Jake) **wear** caps.

❹ (Toby / The students) **fixes** the computer.

❺ (My dad and I / My dad) **watches** the movie.

❻ (My sister / We) **cleans** the living room.

❼ (Her uncle / Her uncles) **live** in Busan.

❽ (My friends / The monkey) **climbs** the tree.

C 다음 주어진 단어를 빈칸에 알맞은 형태로 쓰세요.

1. Kate and I ___make___ cookies. (make) 케이트와 나는 쿠키들을 만든다.
2. The boy ________ the kite. (fly) 그 남자아이가 연을 날린다.
3. Lisa ________ to bed at 10. (go) 리사는 10시에 잠자리에 든다.
4. She ________ dinner at 7. (have) 그녀는 7시에 저녁을 먹는다.
5. The men ________ the park. (clean) 그 남자들은 공원을 청소한다.
6. Joe ________ baseball every day. (play) 조는 매일 야구를 한다.
7. He ________ work at 6 p.m. (finish) 그는 오후 6시에 일을 마친다.
8. We ________ our teeth every day. (brush) 우리는 매일 이를 닦는다.
9. My friend ________ in the library. (study) 내 친구는 도서관에서 공부한다.
10. My dad ________ the news. (watch) 아빠는 뉴스를 보신다.

D 다음 밑줄 친 부분을 바르게 고쳐 쓰세요.

1. My sister get up early. → ___gets up___
2. Steve haves two sisters. → ________
3. My brother plaies tennis. → ________
4. Julie fixs her car. → ________
5. We goes to school at 8:30. → ________
6. The museum close at 6 o'clock. → ________
7. Teddy washs his hair every day. → ________

Step 3 배운 내용을 문장에 적용해요.

정답과 해설 p.15

A

우리말에 맞게 주어진 단어를 배열하세요.
(필요하면 단어의 형태를 바꾸세요.)

1. Ian(이안)은 해변에 간다. (the beach / go / Ian / to)

→ Ian goes to the beach.

2. 그는 세 명의 딸이 있다. (three / have / daughters / he)

→ ______

3. 그 콘서트는 9시에 끝난다. (at 9 / finish / the concert)

→ ______

4. 내 사촌은 컴퓨터들을 고친다. (my / computers / fix / cousin)

→ ______

5. 그들은 강에서 물고기를 잡는다. (in / fish / catch / they / the river)

→ ______

B

우리말에 맞게 주어진 단어를 이용하여 문장을 완성하세요.
(필요하면 단어를 추가하거나 형태를 바꾸세요.)

1. 그 식당은 11시에 닫는다. (the restaurant, at 11, close)

→ The restaurant closes at 11.

2. Jim(짐)은 한국어를 공부한다. (Korean, study)

→ ______

3. Tim(팀)과 나는 치즈케이크를 먹는다. (cheesecake, and, eat)

→ ______

4. 나의 삼촌은 음악을 가르친다. (teach, uncle, music)

→ ______

5. 나의 할머니는 매일 꽃을 사신다. (flowers, buy, every day, grandma)

→ ______

일반동사 현재형의 부정문

UNIT 2 He doesn't get up early.

Step 1 '~하지 않다'는 어떻게 나타내는지 알아볼까요?

be동사의 부정문은 be동사 뒤에 not만 넣으면 되지만, 일반동사의 부정문은 be동사의 부정문과는 다르게 do의 도움이 필요해요.
일반동사의 '앞'에 do not 또는 does not을 넣어 나타내며, '~하지 않다'라는 뜻이에요.
이때 do not이나 does not 뒤에는 반드시 동사의 원래 모양을 써야 해요.

+ 일반동사 현재형의 부정문 +

주어가 I / You / We / They 또는 복수 명사일 때	do not (= don't) + 동사원형	I **know** him. → I do not **know** him. 나는 그를 모른다. My friends **like** pizza. → My friends do not **like** pizza. 내 친구들은 피자를 좋아하지 않는다. Mike and Lily **watch** TV. → Mike and Lily don't **watch** TV. 마이크와 릴리는 TV를 보지 않는다.
주어가 He / She / It 또는 단수 명사일 때 = 3인칭 단수 주어	does not (= doesn't) + 동사원형	He **likes** vegetables. → He does not **like** vegetables. 그는 채소를 좋아하지 않는다. Kelly **studies** in the library. → Kelly does not **study** in the library. 켈리는 도서관에서 공부하지 않는다. My sister **has** short hair. → My sister doesn't **have** short hair. 내 여동생은 짧은 머리를 가지고 있지 않다.

do not은 don't로, does not은 doesn't로 줄여 쓸 수 있어요.

✔ 체크 does not[doesn't]을 쓰면 3인칭 단수 주어의 동사 뒤에 붙어 있던 -(e)s는 사라지고 원래 모양이 돼요.
has는 does not **have**로 바뀌는 것에 주의하세요.
She doesn't **likes** roses. (X) Tom doesn't **has** a dog. (X)

✔ 체크 일반동사의 부정문과 의문문에 쓰이는 do와 does는 '하다'라는 뜻의 일반동사가 아니에요.
동사를 도와주는 역할을 하는 **조동사 중 하나**예요.
He **does not do** his homework. (그는 그의 숙제를 하지 않는다.)
(does: 조동사, do: 일반동사(하다))

A

다음 (   ) 안에서 알맞은 것을 고르세요.

1. I (do not / does not) drink milk.
2. She (do not / does not) speak English.
3. You (do not / does not) get up early.
4. Frank (do not / does not) play tennis.
5. He (do not / does not) take violin lessons.
6. We (do not / does not) have a class now.
7. The boys (do not / does not) go to parties.
8. My father (do not / does not) remember your name.
9. Sam and Jenny (do not / does not) have a tent.

B

우리말에 맞게 빈칸에 don't 또는 doesn't를 넣어 문장을 완성하세요.

1. 그녀는 햄버거를 좋아하지 않는다.
→ She __doesn't__ like hamburgers.

2. 우리 개들은 짖지 않는다.
→ Our dogs ________ bark.

3. Kelly(켈리)는 음악을 듣지 않는다.
→ Kelly ________ listen to music.

4. Tony(토니)와 Sally(샐리)는 서울에 살지 않는다.
→ Tony and Sally ________ live in Seoul.

5. 내 사촌은 휴대전화가 없다.
→ My cousin ________ have a cellphone.

C

다음 문장에서 don't 또는 doesn't가 들어갈 위치를 고른 다음, 알맞은 것에 체크하세요.

1. Jane ① clean ② the ③ classroom.
   - ☐ don't ☑ doesn't
2. We ① know ② the ③ answer.
   - ☐ don't ☐ doesn't
3. My ① friend ② read ③ comic ④ books.
   - ☐ don't ☐ doesn't
4. The ① students ② play ③ computer ④ games.
   - ☐ don't ☐ doesn't
5. That ① museum ② open ③ on ④ Mondays.
   - ☐ don't ☐ doesn't

D

다음 밑줄 친 부분을 바르게 고쳐 쓰세요.

1. The store <u>don't</u> sell chocolate. → doesn't
2. Jenny <u>is not</u> bake bread. → ______
3. They <u>doesn't</u> like movies. → ______
4. My brother <u>do</u> not tell lies. → ______
5. Emily doesn't <u>brushes</u> her teeth. → ______
6. My grandma <u>do</u> not drink coffee. → ______
7. You <u>not do</u> need a new backpack. → ______
8. Greg and Ted <u>doesn't</u> play soccer. → ______
9. Mr. Jones doesn't <u>goes</u> to work at 7. → ______

Step 3 배운 내용을 문장에 적용해요.

정답과 해설 p.16

A

다음 문장을 부정문으로 바꿔 쓰세요. (줄임말로 쓰세요.)

1. Dan wears glasses. 댄은 안경을 쓴다.

→ Dan doesn't wear glasses.

2. They like Chinese food. 그들은 중국 음식을 좋아한다.

→

3. My uncle has a car. 나의 삼촌은 차가 있다.

→

4. Josh and Tom eat breakfast. 조쉬와 톰은 아침을 먹는다.

→

5. Anna goes shopping. 안나는 쇼핑하러 간다.

→

B

우리말에 맞게 주어진 단어를 이용하여 문장을 완성하세요.
(필요하면 단어를 추가하고, 줄임말로 쓰세요.)

1. 그는 설거지를 하지 않는다. (do, the dishes)

→ He doesn't do the dishes.

2. 우리는 도서관 안에서 뛰지 않는다. (run, in the library)

→

3. Erin(에린)은 콘서트에 가지 않는다. (go, to the concert)

→

4. 내 남동생은 영어를 공부하지 않는다. (brother, study, English)

→

5. 내 친구들은 눈사람을 만들지 않는다. (friends, make, a snowman)

→

일반동사 현재형의 의문문

UNIT 3 Does he get up early?

Step 1 '~하니?'는 어떻게 나타내는지 알아볼까요?

일반동사가 있는 문장의 의문문은 주어 '앞'에 Do 또는 Does를 써요.
이때 「주어+동사」의 순서는 바뀌지 않아요. 부정문과 마찬가지로 동사는 반드시 원래 모양을 써야 해요.

+ 일반동사 현재형의 의문문 +

주어가 I / you / we / they 또는 복수 명사일 때	Do + 주어 + 동사원형 ~?	You **know** him. ➔ Do you **know** him? 너는 그를 아니? Mike and Lily **watch** TV. ➔ Do Mike and Lily **watch** TV? 마이크와 릴리는 TV를 보니?
주어가 he / she / it 또는 단수 명사일 때 = 3인칭 단수 주어	Does + 주어 + 동사원형 ~?	He **likes** vegetables. ➔ Does he **like** vegetables? 그는 채소를 좋아하니? Your sister **has** short hair. ➔ Does your sister **have** short hair? 네 여동생은 짧은 머리를 가지고 있니?

✔ 체크 일반동사의 의문문에서 주어 뒤에 오는 동사는 무조건 원래 모양을 쓴다는 것을 기억하세요!

+ 일반동사 의문문에 대한 대답: Yes/No +

질문	Yes로 대답 (긍정) 응, 그래.	No로 대답 (부정) 아니, 그렇지 않아.
Do you ~?	Yes, I do.	No, I don't.
Do we/you/they ~?	Yes, you/we/they do.	No, you/we/they don't.
Does he/she/it ~?	Yes, he/she/it does.	No, he/she/it doesn't.

✔ 체크 주어가 명사인 질문에 대답할 때는 주어를 알맞은 대명사로 바꿔 대답해야 해요.
Q: Does **his uncle** have a farm? (그의 삼촌은 농장을 가지고 계시니?)
A: Yes, **he** does. (응, 그러셔.)

Step 2 문제를 풀며 이해해요.

정답과 해설 p.16

A 다음 ( ) 안에서 알맞은 것을 고르세요.

❶ (Do / Does) they watch TV?

❷ (Do / Does) Judy wear caps?

❸ (Do / Does) she like pizza?

❹ (Do / Does) you know them?

❺ (Do / Does) Peter do the laundry?

❻ (Do / Does) your friends play baseball?

❼ (Do / Does) the store open at 10 o'clock?

B 다음 질문에 대한 대답으로 알맞은 것을 고르세요.

❶ Q Does she have a cat?
A ☐ Yes, she doesn't. ☑ No, she doesn't.

❷ Q Do you use a laptop?
A ☐ Yes, you do. ☐ No, I don't.

❸ Q Does Mr. David drive a truck?
A ☐ Yes, he does. ☐ No, she doesn't.

❹ Q Do the teachers speak Chinese?
A ☐ Yes, she does. ☐ No, they don't.

❺ Q Do penguins eat fish?
A ☐ Yes, they do. ☐ No, it doesn't.

C 우리말에 맞게 보기의 단어를 이용하여 빈칸에 알맞은 말을 쓰세요.

보기	go	do	need	take	live

❶ Paul(폴)은 가위가 필요하니?

→ Does Paul need scissors?

❷ 네 누나는 태권도를 하니?

→ ________ your sister ________ taekwondo?

❸ 네 친구들은 서울에 사니?

→ ________ your friends ________ in Seoul?

❹ 그들은 캠핑을 가니?

→ ________ they ________ camping?

❺ 그녀의 아기는 낮잠을 자니?

→ ________ her baby ________ naps?

D 다음 밑줄 친 부분을 바르게 고쳐 쓰세요.

❶ Do he like sports? → Does

❷ Does she swims in the sea? → ________

❸ Do Kate have a sister? → ________

❹ Does they want ice cream? → ________

❺ Do your dog like chicken? → ________

❻ Are the children go to school? → ________

❼ Does Jack finishes his homework? → ________

❽ Does you know her phone number? → ________

Step 3 배운 내용을 문장에 적용해요.

정답과 해설 p.17

A

다음 문장을 의문문으로 바꿔 쓰세요.

1. Your teachers help you. 너의 선생님들은 너를 도와주신다.
   → Do your teachers help you?
2. He works at a hospital. 그는 병원에서 일한다.
   → ______________________
3. Cows eat grass. 젖소들은 풀을 먹는다.
   → ______________________
4. Her grandma needs a cellphone. 그녀의 할머니는 휴대전화가 필요하시다.
   → ______________________
5. Those singers have a concert. 저 가수들은 콘서트가 있다.
   → ______________________

B

우리말에 맞게 주어진 단어를 이용하여 문장을 완성하세요.
(필요하면 단어를 추가하세요.)

1. Brian(브라이언)은 식물을 키우니? (grow, plants)
   → Does Brian grow plants?
2. 너는 그녀의 주소를 아니? (know, address)
   → ______________________
3. 너의 아빠는 저녁 식사를 요리하시니? (dad, cook, dinner)
   → ______________________
4. 그 남자는 잡지를 읽니? (the man, read, magazines)
   → ______________________
5. 네 고양이들은 침대 위에서 자니? (cats, sleep, on the bed)
   → ______________________

CHAPTER EXERCISE

정답과 해설 p.17

[01~02] 다음 중 동사원형과 3인칭 단수 현재형이 잘못 짝지어진 것을 고르세요.

01 ① go - goes
② have - has
③ catch - catches
④ enjoy - enjoyes
⑤ drink - drinks

02 ① open - opens
② begin - begins
③ finish - finishes
④ watch - watchs
⑤ know - knows

03 다음 동사를 3인칭 단수 현재형으로 만들 때, 형태가 다른 것을 고르세요.

① study ② play
③ carry ④ try
⑤ worry

[04~06] 다음 주어진 동사를 현재형으로 바꿔 쓰세요.

04 We ________ dinner at 7. (have)

05 The girl ________ well. (sing)

06 My grandpa ________ shopping. (go)

[07~08] 다음 빈칸에 들어갈 말로 알맞은 것을 고르세요.

07 Henry ________ pizza.

① eat ② likes
③ have ④ want
⑤ make

08 ________ play soccer.

① He ② My brother
③ She ④ You and Abby
⑤ Paul

09 다음 밑줄 친 부분이 잘못된 것을 고르세요.

① Ted walks to school.
② Sally loves her sister.
③ They live in Chicago.
④ She pushes the door.
⑤ Jenny rides a horse.

[10~11] 다음 빈칸에 don't 또는 doesn't를 쓰세요.

10 He ________ speak English.

11 The girls ________ play tennis.

[12~13] 다음 빈칸에 Do 또는 Does를 쓰세요.

12 ________ Billy know your name?

13 ________ you have a cellphone?

14 다음 대화에서 빈칸에 들어갈 말로 알맞은 것을 고르세요.

Q Does her son cook well?
A ________ He is a good cook.

① Yes, he is.
② Yes, he does.
③ No, he isn't.
④ No, he doesn't.
⑤ Yes, she does.

[15~16] 다음 빈칸에 들어갈 수 없는 것을 고르세요.

15 ________ don't have a tent.

① Her friends ② The boys
③ His uncle ④ My cousins
⑤ Ben and Jade

16 Does ________ like milk?

① Anna ② he
③ your cat ④ your sons
⑤ her sister

[17~18] 다음 빈칸에 들어갈 말이 다른 것을 고르세요.

17 ① ________ she play soccer?
② ________ he a teacher?
③ ________ he like potatoes?
④ ________ your dad exercise?
⑤ ________ she eat breakfast?

18 ① I ________ not know her.
② She ________ not like juice.
③ He ________ not have a dog.
④ Lisa ________ not watch movies.
⑤ Her dad ________ not ride a bike.

[19~20] 다음 밑줄 친 부분을 바르게 고쳐 쓰세요.

19 The player isn't pass the ball.
그 선수는 공을 패스하지 않는다.

→ ________

20 Eric and Jack finishes their homework at 5 o'clock.
에릭과 잭은 5시에 숙제를 끝낸다.

→ ________

정답과 해설 p.18

CHAPTER 3-4

A

다음 ( ) 안에서 알맞은 것을 고르세요.

❶ (Is / Does) he learn Chinese?

❷ (Is / Are) your mom angry?

❸ That train (stop / stops) here.

❹ Grace doesn't (need / needs) scissors.

❺ My friends (aren't / don't) in the classroom.

❻ There (is / are) three books on the table.

B

우리말에 맞게 보기의 단어를 이용하여 문장을 완성하세요.
(필요하면 단어의 형태를 바꾸세요.)

보기					
	is	are	do	does	not
	have	take	play	like	walk

❶ She ___has___ three cats. They ___are___ cute.
그녀는 고양이 세 마리가 있다. 그것들은 귀엽다.

❷ Joey __________ a soccer player. She __________ soccer every day.
조이는 축구 선수이다. 그녀는 매일 축구를 한다.

❸ April and Andy __________ my friends. My mom __________ them.
에이프릴과 앤디는 내 친구들이다. 나의 엄마는 그들을 좋아하신다.

❹ My brothers __________ to school. They __________ __________ a bus.
나의 형들은 학교에 걸어간다. 그들은 버스를 타지 않는다.

❺ Q __________ Emma __________ long hair? 엠마는 긴 머리를 가지고 있니?

A Yes, she __________. 응, 그래.

형용사

UNIT 1 **형용사의 종류와 쓰임**

형용사에는 어떤 것들이 있고, 문장에서 어떻게 쓰이는지 알 수 있어요.

They are my **new** shoes.

UNIT 2 **many/much, some/any**

수나 양을 나타내는 형용사 many/much와 some/any를 쓰임에 맞게 쓸 수 있어요.

Do you want **some** cookies?

UNIT 3 **all/every**

형용사 all/every를 뒤에 오는 명사에 따라 알맞게 쓸 수 있어요.

I like **all** fruits.

형용사의 종류와 쓰임

They are my **new** shoes.

Step 1 형용사는 문장에서 어떻게 쓰일까요?

형용사는 사람이나 사물의 성질과 상태를 나타내는 말이에요.
명사 앞에서 명사를 꾸며주거나 be동사 뒤에서 명사(주어)를 설명해주는 역할을 해요.

+ 형용사의 종류 +

색깔	red 빨간	yellow 노란	green 녹색의	blue 파란	white 흰	black 검은
크기/모양	big 큰	small 작은	tall 키가 큰, 높은	short 키가 작은, 짧은		long 긴
성질/상태	good 좋은 new 새, 새로운 clean 깨끗한	nice 멋진 old 오래된, 늙은 dirty 더러운	bad 나쁜 young 젊은 fast 빠른	happy 행복한 beautiful 아름다운 slow 느린		sad 슬픈 pretty 예쁜 heavy 무거운
수	one 하나의	two 둘의	three 셋의	first 첫 번째의		second 두 번째의
날씨	sunny 화창한 cloudy 흐린	rainy 비가 오는 windy 바람이 부는	hot 더운 snowy 눈이 내리는	warm 따뜻한		cool 시원한
맛	sweet 달콤한	salty 짠	hot 매운	sour 신		delicious 맛있는

+ 형용사의 쓰임 +

명사를 꾸며줄 때 ~한	**a/an/the + 형용사 + 명사**	This is **a** tall **building.** 이것은 높은 건물이다. **The** new **shoes** are mine. 그 새 신발은 내 것이다.
	소유격 + 형용사 + 명사	They are **my** new **shoes.** 그것은 내 새 신발이다.
	this[that]/these[those] + 형용사 + 명사	She works in **this** tall **building.** 그녀는 이 높은 건물에서 일한다.
명사(주어)를 설명할 때 ~하다	**be동사 + 형용사**	tall 높은 → be + tall 높다 This building **is** tall. 이 건물은 높다. new 새, 새로운 → be + new 새것이다 My shoes **are** new. 내 신발은 새것이다.

✔ 체크 형용사의 발음이 모음(a, e, i, o, u)으로 시작하면 앞에 an을 써야 해요.
a story → **an exciting** story (신나는 이야기)

A 다음 문장에서 형용사를 찾아 동그라미하세요.

1. I want hot milk.
2. It's sunny today.
3. Her dogs are cute.
4. She wants a new car.
5. They are famous actors.
6. The cookies are delicious.
7. He wants the white shoes.
8. Stella has long hair.

B 다음 밑줄 친 형용사가 꾸며주거나 설명하는 말을 찾아 동그라미하세요.

1. My brother is lazy. 나의 오빠는 게으르다.
2. She has a pretty ring. 그녀는 예쁜 반지를 가지고 있다.
3. My shoes are wet. 내 신발은 젖었다.
4. I don't like salty food. 나는 짠 음식을 좋아하지 않는다.
5. Your room is clean. 네 방은 깨끗하다.
6. That tall man is my uncle. 저 키 큰 남자는 나의 삼촌이다.
7. These are easy questions. 이것들은 쉬운 문제들이다.
8. The mountain is beautiful. 그 산은 아름답다.

C 다음 문장에서 주어진 단어가 들어갈 알맞은 위치를 고르세요.

1. tall — His ① mom ② is ③ .
2. old — ① That ② car ③ is ④ mine.
3. boring — The ① movie ② is ③ .
4. good — They ① are ② my ③ friends ④ .
5. kind — She ① is ② a ③ nurse ④ .
6. yellow — Kate ① borrows ② his ③ umbrella ④ .

D 다음 두 문장이 같은 내용이 되도록 빈칸에 알맞은 말을 쓰세요.

1. Those boxes are heavy.
→ Those are heavy boxes.

2. That table is dirty.
→ That is a ________ ________.

3. Those are old buildings.
→ Those buildings ________ ________.

4. Her gloves are red.
→ She has ________ ________.

5. This is a sharp pencil.
→ This pencil ________ ________.

6. Those oranges are sweet.
→ Those are ________ ________.

Step 3 배운 내용을 문장에 적용해요.

정답과 해설 p.19

A 우리말에 맞게 주어진 단어를 배열하세요.

1. 이것들은 신선한 채소들이다. (these / vegetables / are / fresh)
→ These are fresh vegetables.

2. 우리는 큰 식탁이 필요하다. (large / need / a / we / table)
→ ______________________

3. 나는 이 빨간 스웨터를 좋아한다. (sweater / I / red / this / like)
→ ______________________

4. 돌고래들은 똑똑한 동물이다. (animals / dolphins / smart / are)
→ ______________________

5. 저것은 나의 사랑스러운 고양이다. (is / cat / that / lovely / my)
→ ______________________

B 우리말에 맞게 주어진 단어를 이용하여 문장을 완성하세요.
(필요하면 단어를 추가하거나 형태를 바꾸세요.)

1. 그 도시는 안전하다. (safe, be)
→ The city ____is safe____.

2. 이 오래된 건물은 위험하다. (building, old)
→ ______________ is dangerous.

3. 이것은 재미있는 영화이다. (an, movie, interesting)
→ This is ______________.

4. Cindy(신디)는 그녀의 새 학교가 마음에 든다. (school, new)
→ Cindy likes ______________.

5. 저 사탕들은 시다. (sour, be)
→ Those candies ______________.

many/much, some/any

UNIT 2 Do you want **some** cookies?

Step 1 수나 양을 나타내는 형용사는 어떻게 쓰일까요?

형용사에는 수나 양을 나타내는 표현들도 있어요. 명사의 수나 양이 많거나 적음을 나타내요.

+ many/much의 의미와 쓰임 +

many + 복수 명사	(수가) 많은	There are **many cars.** 많은 차들이 있다. I don't have **many pencils.** 나는 많은 연필을 가지고 있지 않다.
much + 셀 수 없는 명사	(양이) 많은	Don't eat too **much sugar.** 너무 많은 설탕을 먹지 마라. I don't have **much time.** 나는 많은 시간이 없다.

✔ 체크 many와 much는 a lot of 또는 lots of로 바꿔 쓸 수 있어요.
I read **a lot of(= lots of) books.** (나는 많은 책을 읽는다.)
We have **a lot of(= lots of) homework.** (우리는 많은 숙제가 있다.)

✔ 체크 much는 주로 부정문과 의문문에 쓰여요. 긍정문에서는 much보다 a lot of 또는 lots of를 더 많이 사용해요.

+ some의 의미와 쓰임 +

	긍정문 몇몇의, 약간의, 조금	의문문 약간의, 조금 (권유나 허락)
some + 복수 명사	There are some **cookies.** 약간의 쿠키들이 있다.	Do you want some **cookies**? 쿠키 좀 먹을래? <권유>
some + 셀 수 없는 명사	There is some **milk.** 약간의 우유가 있다.	Can I have some **milk**? 우유 좀 마셔도 될까요? <허락>

✔ 체크 some은 일반적으로 긍정문에 많이 쓰이고, any는 부정문과 의문문에 쓰이지만,
'권유'나 '허락'의 의문문과 같이 긍정의 대답을 기대하는 경우 의문문에서도 some을 사용해요.
Would you like some popcorn**?** (팝콘 좀 드시겠어요?)

+ any의 의미와 쓰임 +

	부정문 조금도, 하나도	의문문 약간의, 조금
any + 복수 명사	I don't have any **pencils.** 나는 연필이 하나도 없어.	Do you have any **pencils**? 너는 연필을 좀 가지고 있니?
any + 셀 수 없는 명사	There isn't any **milk.** 우유가 조금도 없다.	Do you have any **homework**? 너는 숙제가 좀 있니?

정답과 해설 p.20

A 다음 (   ) 안에서 알맞은 것을 고르세요.

1. They spend (many / much) money. 그들은 많은 돈을 쓴다.
2. Does he have (many / much) friends? 그는 많은 친구들이 있니?
3. The plant needs (many / much) water. 그 식물은 많은 물을 필요로 한다.
4. My brother has (many / much) caps. 나의 형은 많은 야구모자가 있다.
5. I don't need (many / much) butter. 나는 많은 버터가 필요하지 않다.
6. We don't have (many / much) homework. 우리는 숙제가 많지 않다.
7. There are (many / much) museums in Seoul. 서울에는 많은 박물관이 있다.
8. Do you need (many / much) baskets? 너는 많은 바구니가 필요하니?

B 다음 (   ) 안에서 알맞은 것을 고르세요.

1. I need (some / any) sleep. 나는 잠이 좀 필요하다.
2. We want (some / any) tea. 우리는 차를 좀 마시고 싶다.
3. He doesn't want (some / any) help. 그는 도움을 조금도 원하지 않는다.
4. Do you want (some / any) bread? 빵 좀 먹을래?
5. They don't have (some / any) children. 그들은 자녀가 한 명도 없다.
6. Do you have (some / any) questions? 너는 질문이 좀 있니?
7. There are (some / any) people on the train. 몇몇 사람들이 기차에 있다.
8. I don't drink (some / any) soda. 나는 탄산음료를 조금도 마시지 않는다.

C 우리말에 맞게 보기에서 알맞은 말을 골라 쓰세요.

보기	many	much	some	any

1. 많은 책들이 있다.
→ There are ___many___ books.

2. 물 좀 마셔도 될까요?
→ Can I have __________ water?

3. 많은 시간이 없다.
→ There isn't __________ time.

4. 너는 많은 의자들이 필요하니?
→ Do you need __________ chairs?

5. 설탕이 좀 있나요?
→ Is there __________ sugar?

6. 그는 많은 탄산음료를 마시지 않는다.
→ He doesn't drink __________ soda.

7. 케이크 좀 먹을래?
→ Do you want __________ cake?

8. Amy(에이미)는 형제들이 하나도 없다.
→ Amy doesn't have __________ brothers.

9. 버스에 많은 사람들이 있다.
→ There are __________ people on the bus.

10. 너는 계획들이 좀 있니?
→ Do you have __________ plans?

11. 공원에 몇몇 아이들이 있다.
→ There are __________ children in the park.

Step 3 배운 내용을 문장에 적용해요.

정답과 해설 p.20

A 우리말에 맞게 밑줄 친 부분을 바르게 고쳐 문장을 다시 쓰세요.

❶ She reads many book. 그녀는 많은 책들을 읽는다.

→ She reads many books.

❷ There isn't some orange juice. 오렌지 주스가 하나도 없다.

→ ______________________

❸ I don't drink many milk. 나는 많은 우유를 마시지 않는다.

→ ______________________

❹ Would you like any doughnuts? 도넛 좀 드시겠어요?

→ ______________________

❺ The singer has much fans. 그 가수는 많은 팬들이 있다.

→ ______________________

B 우리말에 맞게 주어진 단어를 이용하여 문장을 완성하세요. (필요하면 단어를 추가하거나 형태를 바꾸세요.)

❶ 하늘에 별들이 하나도 없다. (aren't, star, there)

→ There aren't any stars in the sky.

❷ 너는 많은 돈이 필요하니? (need, do, money)

→ ______________________

❸ 그들은 약간의 달걀을 원한다. (want, egg)

→ ______________________

❹ 나의 언니는 많은 가방을 가지고 있다. (has, bag, sister)

→ ______________________

❺ 재미있는 뉴스가 좀 있나요? (interesting, there, news, is)

→ ______________________

all/every

UNIT 3 I like **all** fruits.

Step 1 all과 every는 쓰임이 어떻게 다를까요?

all과 every는 둘 다 '모든'이라는 뜻이지만, 쓰임이 달라요.
all 뒤에는 복수 명사가 오고, every 뒤에는 단수 명사가 와요.

+ **all의 의미와 쓰임** +

all + **복수 명사** 모든 ~	All **horses** have long tails. 모든 말들이 긴 꼬리를 가지고 있다. Jaden answers all **the questions**. 제이든은 모든 질문들에 대답한다. I like all **my friends**. 나는 내 모든 친구들을 좋아한다.

체크 「all+복수 명사」 주어 뒤에는 **동사의 복수형**이 와야 해요.
All birds have wings. (모든 새들은 날개가 있다.)

체크 all과 복수 명사 사이에는 the, 소유격 대명사, 지시형용사가 오기도 해요.
I can move **all these boxes**. (나는 이 모든 상자들을 옮길 수 있다.)

+ **every의 의미와 쓰임** +

every + **단수 명사** 모든 ~	Every **horse** has a long tail. 모든 말이 긴 꼬리를 가지고 있다. Jaden answers every **question**. 제이든은 모든 질문에 대답한다. I like every **teacher**. 나는 모든 선생님을 좋아한다.

체크 「every+단수 명사」 주어 뒤에는 **동사의 단수형**이 와야 해요.
Every room is clean. (모든 방이 깨끗하다.)

체크 every 뒤에 시간이나 요일을 나타내는 명사가 오면 '매 ~, ~마다'라는 뜻으로 쓰여요.
every morning(매일 아침) **every** Sunday(일요일마다) **every** week(매주)

A 다음 ( ) 안에서 알맞은 것을 고르세요.

❶ (All / Every) students like the teacher.
모든 학생들이 그 선생님을 좋아한다.

❷ Kate likes (all / every) flower.
케이트는 모든 꽃을 좋아한다.

❸ (All / Every) my sisters are tall.
내 모든 언니들이 키가 크다.

❹ (All / Every) car has an engine.
모든 차가 엔진을 가지고 있다.

❺ I know (all / every) his friends.
나는 그의 모든 친구들을 안다.

❻ (All / Every) giraffe has a long neck.
모든 기린이 긴 목을 가지고 있다.

B 다음 ( ) 안에서 알맞은 것을 고르세요.

❶ Every (house / houses) has windows.
모든 집이 창문들을 가지고 있다.

❷ All (flower / flowers) are beautiful.
모든 꽃들은 아름답다.

❸ Every (baby / babies) is cute.
모든 아기가 귀엽다.

❹ All my (friend / friends) live in Chicago.
내 모든 친구들은 시카고에 산다.

❺ Jack studies all the (subject / subjects).
잭은 모든 과목들을 공부한다.

❻ She knows every (student / students) in my school.
그녀는 학교의 모든 학생을 안다.

C

all과 every 중에서 다음 빈칸에 공통으로 들어갈 알맞은 것을 쓰세요.

❶

- Every puppy is cute.
- Every bird has wings.

❷

- Tommy likes ____________ vegetables.
- ____________ children like this game.

❸

- ____________ bakery sells cake.
- She watches the news ____________ night.

D

다음 밑줄 친 부분을 바르게 고쳐 쓰세요.

❶ I like every their songs. → all
나는 그들의 모든 노래들을 좋아한다.

❷ All his friend are tall. → ____________
그의 모든 친구들은 키가 크다.

❸ All language is different. → ____________
모든 언어가 다르다.

❹ She exercises every mornings. → ____________
그녀는 매일 아침 운동한다.

❺ All these rose are red. → ____________
이 모든 장미들은 빨간색이다.

❻ Joey solves all the math problem. → ____________
조이는 모든 수학 문제들을 푼다.

❼ Every people have cellphones. → ____________
모든 사람들이 휴대전화를 가지고 있다.

Step 3 배운 내용을 문장에 적용해요.

정답과 해설 p.21

A

우리말에 맞게 주어진 단어를 배열하세요.

1. 내 모든 친구들은 친절하다. (are / friends / all / nice / my)

→ All my friends are nice.

2. 모든 사람이 그 노래를 좋아한다. (person / the song / likes / every)

→ ______

3. 모든 타조들이 빨리 달린다. (run / ostriches / fast / all)

→ ______

4. 모든 소방관은 용감하다. (every / brave / is / firefighter)

→ ______

5. 모든 창문들을 닫아라. (windows / all / close / the)

→ ______

B

**우리말에 맞게 주어진 단어를 이용하여 문장을 완성하세요.
(필요하면 단어를 추가하거나 형태를 바꾸세요.)**

1. 모든 거북이 느리다. (is, every, slow, turtle)

→ Every turtle is slow.

2. 그녀는 그녀의 모든 학생들을 기억한다. (student, remembers, all)

→ ______

3. 나는 모든 잡지를 읽는다. (read, magazine, every)

→ ______

4. 그의 모든 재킷들은 파란색이다. (all, are, blue, jacket)

→ ______

5. 우리는 매주 피자를 먹는다. (pizza, week, every, eat)

→ ______

[01~02] 다음 중 형용사가 <u>아닌</u> 것을 고르세요.

01 ① dirty ② blue ③ pretty ④ wind ⑤ small

02 ① lazy ② young ③ cook ④ sweet ⑤ cool

[03~04] 다음 빈칸에 들어갈 말로 알맞은 것을 고르세요.

03 There are ________ kids in the park.
공원에 많은 아이들이 있다.

① much ② any ③ some ④ many ⑤ every

04 Do you have ________ coins?
너는 동전을 좀 가지고 있니?

① any ② many ③ all ④ much ⑤ every

05 다음 밑줄 친 형용사의 쓰임이 <u>다른</u> 것을 고르세요.

① I need a <u>clean</u> towel.
② He is a <u>smart</u> person.
③ Those boxes are <u>heavy</u>.
④ They are <u>famous</u> actors.
⑤ I like <u>snowy</u> days.

[06~10] 우리말에 맞게 보기에서 알맞은 것을 골라 빈칸에 쓰세요.

<보기> many much some any

06 우리는 약간의 쌀이 필요하다.
→ We need ________ rice.

07 Jane(제인)은 많은 물을 마시지 않는다.
→ Jane doesn't drink ________ water.

08 하늘에 많은 새들이 있다.
→ There are ________ birds in the sky.

09 컵에 커피가 조금도 없다.
→ There isn't ________ coffee in the cup.

10 상자 안에 달걀들이 좀 있다.
→ There are ________ eggs in the box.

[11~12] 다음 (   ) 안에서 알맞은 것을 고르세요.

11 (All / Every) children like toys.

12 Every (dog / dogs) has a tail.

13 다음 빈칸에 many 또는 much를 넣을 때, 들어갈 말이 다른 것을 고르세요.

① They use too ______ water.
② There are ______ cookies.
③ I don't eat ______ cheese.
④ We don't have ______ money.
⑤ I don't have ______ homework.

14 다음 빈칸에 some 또는 any를 넣을 때, 들어갈 말이 다른 것을 고르세요.

① There isn't ______ butter.
② I don't have ______ paper.
③ Does she have ______ plans?
④ We need ______ help.
⑤ There aren't ______ pens.

15 다음 중 밑줄 친 단어와 바꿔 쓸 수 없는 것을 고르세요.

Do you want some cherries?

① bread ② milk
③ coffee ④ cookies
⑤ apple

16 다음 빈칸에 all 또는 every를 넣을 때, 들어갈 말이 다른 것을 고르세요.

① I love ______ animal.
② He visits ______ museum.
③ ______ my shoes are black.
④ ______ spider has eight legs.
⑤ ______ player wears gloves.

17 다음 빈칸에 공통으로 들어갈 말로 알맞은 것을 고르세요.

· There isn't ______ soda.
· Do you have ______ questions?

① some ② all
③ many ④ any
⑤ much

[18~20] 우리말에 맞게 밑줄 친 부분을 바르게 고쳐 쓰세요.

18 There are many tourist.
많은 관광객들이 있다.

→ ____________________

19 I don't eat some vegetables.
나는 채소를 조금도 먹지 않는다.

→ ____________________

20 It is lovely my cat.
그것은 내 사랑스러운 고양이다.

→ ____________________

정답과 해설 p.22

A

다음 (   ) 안에서 알맞은 것을 고르세요.

❶ My brother (have / has) (much / some) comic books.

❷ (Do / Does) you want (some / any) ice cream?

❸ Kate (buy / buys) some (strawberry / strawberries).

❹ My grandmother (read / reads) (many / much) books.

❺ This is (an expensive camera / a camera expensive).

❻ We (watch / watches) (all / every) his games.

B

우리말에 맞게 보기의 단어를 이용하여 문장을 완성하세요.
(필요하면 단어의 형태를 바꾸세요.)

보기						
do	does	don't	doesn't	brush	have	eat
need	many	much	some	any	all	every

❶ I __don't__ __eat__ __any__ meat.
나는 고기를 조금도 먹지 않는다.

❷ Her daughter ________ ________ toys.
그녀의 딸은 많은 장난감들을 가지고 있다.

❸ He ________ ________ ________ time.
그는 많은 시간이 없다.

❹ ________ she ________ ________ help?
그녀는 도움이 좀 필요하니?

❺ Judy ________ her teeth ________ morning.
주디는 매일 아침 이를 닦는다.

CHAPTER 6

부사

UNIT 1 **부사의 쓰임과 형태**

부사의 쓰임과 여러 형태에 대해 알 수 있어요.

He walks **slowly**.

UNIT 2 **빈도부사**

어떤 일이 얼마나 자주 일어나는지를 나타내는 부사에 대해 알 수 있어요.

I **always** eat breakfast.

부사의 쓰임과 형태

He walks **slowly**.

Step 1 부사는 문장에서 어떻게 쓰일까요?

부사는 동사, 형용사, 또는 다른 부사를 더 자세하게 꾸며주는 말이에요.
대부분의 부사는 형용사 뒤에 '-ly'를 붙여서 만들지만, 모든 부사가 그런 것은 아니므로 주의해야 해요.

+ 부사의 쓰임 +

동사를 꾸며줄 때	(주로) 동사 + 부사	She **runs** fast. 그녀는 빨리 달린다. He **solves** puzzles easily. 그는 퍼즐을 쉽게 푼다.
형용사를 꾸며줄 때	부사 + 형용사	It's really **hot** today. 오늘은 정말 덥다.
다른 부사를 꾸며줄 때	부사 + 부사	The turtle moves very **slowly**. 거북이는 매우 느리게 움직인다.

동사 뒤에 목적어(~을/를)가 있을 때는 목적어 다음에 부사가 와요.

+ 부사의 형태 +

대부분의 형용사	+ -ly	quiet 조용한 → quietly 조용하게 careful 주의 깊은 → carefully 주의 깊게
'자음+y'로 끝나는 형용사	y를 i로 고치고 + -ly	happy 행복한 → happily 행복하게 easy 쉬운 → easily 쉽게 lucky 운이 좋은 → luckily 운 좋게
-le로 끝나는 형용사	e를 빼고 + -y	gentle 부드러운 → gently 부드럽게 simple 간단한 → simply 간단하게
형용사와 부사가 같은 형태	fast 빠른 → fast 빨리, 빠르게 high 높은 → high 높이, 높게	early 이른 → early 일찍 late 늦은 → late 늦게
형태나 뜻이 다른 부사	good 좋은 → well 잘	

high와 late에 -ly가 붙으면 전혀 다른 뜻이 되므로 주의하세요. highly(매우, 대단히), lately(최근에)

체크 형용사와 부사의 형태는 같지만 뜻이 달라지는 경우: pretty(예쁜) → **pretty**(매우)

체크 hard는 형용사와 부사의 형태가 같지만, 형용사에는 여러 뜻이 있으므로 주의해야 해요.
hard(열심인, 어려운, 힘든, 딱딱한) → hard(**열심히**) *hardly(거의 ~않다)
She is a **hard** worker. (그녀는 열심히 일하는 사람이다.) She works **hard**. (그녀는 열심히 일한다.)

Step 2 문제를 풀며 이해해요.

정답과 해설 p.23

A

다음 문장에서 부사를 찾아 동그라미 하세요.

1. The bird flies (high).
2. They work busily.
3. I'm very hungry.
4. Lily gets up early.
5. The girl smiles happily.
6. The soup is really hot.
7. He plays the drums loudly.

B

다음 형용사의 알맞은 부사의 형태를 쓰세요.

1. slow → slowly
2. hard → ______
3. lucky → ______
4. simple → ______
5. sad → ______
6. easy → ______
7. quick → ______
8. beautiful → ______
9. happy → ______
10. good → ______
11. kind → ______
12. careful → ______
13. early → ______
14. fast → ______
15. real → ______
16. sudden → ______
17. safe → ______
18. honest → ______
19. late → ______
20. serious → ______

C 다음 (   ) 안에서 알맞은 것을 고르세요.

❶ Evan walks very (fast / fastly).

❷ The coffee is very (hot / hotly).

❸ He goes to bed (late / lately).

❹ Tina skates (beautiful / beautifully).

❺ My grandmother swims (good / well).

❻ We study (quiet / quietly) in the library.

❼ They go to school (early / earlily).

❽ We live in a (safe / safely) town.

D 우리말에 맞게 주어진 단어를 빈칸에 알맞은 형태로 쓰세요.

❶ 전망이 정말 멋지다. (real)

→ The view is ___really___ wonderful.

❷ 아빠는 조심스럽게 운전하신다. (careful)

→ Dad drives ______________.

❸ 나는 수학을 매우 열심히 공부한다. (hard)

→ I study math very ______________.

❹ Brain(브라이언)은 컴퓨터를 쉽게 고친다. (easy)

→ Brian fixes computers ______________.

❺ 그 선생님은 학생들에게 다정하게 이야기한다. (gentle)

→ The teacher talks to students ______________.

Step 3 배운 내용을 문장에 적용해요.

정답과 해설 p.23

A

우리말에 맞게 주어진 단어를 배열하세요. (부사가 동사 뒤에 오도록 쓰세요.)

❶ 태양이 밝게 빛난다. (brightly / shines / the sun)

→ The sun shines brightly.

❷ 그 서점은 일찍 문을 닫는다. (closes / the bookstore / early)

→

❸ 그녀는 그 노래를 완벽하게 부른다. (she / perfectly / the song / sings)

→

❹ 이 로봇들은 정말 강하다. (are / these / strong / robots / really)

→

❺ 그는 국수를 매우 빨리 먹는다. (noodles / he / quickly / eats / very)

→

B

**우리말에 맞게 주어진 단어를 이용하여 문장을 완성하세요.
(부사가 동사 뒤에 오도록 쓰세요.)**

❶ 나의 선생님은 조용하게 말씀하신다. (quiet, speaks, my teacher)

→ My teacher speaks quietly.

❷ Robert(로버트)는 요리를 매우 잘한다. (good, cooks, very)

→

❸ 나의 부모님은 정말 열심히 일하신다. (my parents, hard, work, real)

→

❹ Amy(에이미)는 저녁을 늦게 먹는다. (dinner, late, eats)

→

❺ 내 친구는 내 질문에 친절하게 답해준다. (answers, my friend, kind, my questions)

→

빈도부사

UNIT 2 I always eat breakfast.

Step 1 부사에는 또 어떤 종류가 있을까요?

주어가 동사의 행동을 '얼마나 자주' 하는지 나타내는 빈도부사가 있어요.
횟수나 정도를 나타내는 빈도부사는 보통 일반동사 앞, be동사나 조동사 뒤에 쓰여요.
이렇게 동사의 종류에 따라 빈도부사의 위치가 달라지므로 주의해야 해요.

+ 횟수를 나타내는 부사(빈도부사) +

	반복되는 정도	월	화	수	목	금	토	일
always 항상, 언제나	100%	✓	✓	✓	✓	✓	✓	✓
usually 보통, 대개	80~90%	✓	✓	✓	✓	✓	✓	×
often 종종, 자주	60~70%	✓	✓	✓	✓	✓	×	×
sometimes 가끔, 때때로	40~50%	✓	✓	✓	×	×	×	×
never 절대 ~않다	0%	×	×	×	×	×	×	×

+ 빈도부사의 자리 +

빈도부사 + 일반동사	I **always eat** breakfast. 나는 항상 아침을 먹는다. We **often study** together. 우리는 종종 함께 공부한다. Ted **never cleans** his room. 테드는 절대 그의 방을 청소하지 않는다.
be동사 + 빈도부사	Shops **are usually** open in the morning. 가게들은 보통 아침에 문을 연다. He **is sometimes** late for school. 그는 가끔 학교에 지각한다.
조동사 + 빈도부사	I **will never** tell a lie. 나는 절대 거짓말하지 않을 것이다.

✓ 체크 never는 이미 부정의 의미를 포함하고 있으므로, not과 함께 쓸 수 없어요.
Ted **never** doesn't clean his room. (X) → Ted **never** cleans his room. (O)

✓ 체크 조동사는 be동사/일반동사 앞에 쓰여 의미를 더해주는 말이에요. (☞ Plus ❷ CHAPTER 2, 4)
can(~할 수 있다), may(~해도 된다), will(~할 것이다) 등

Step 2 문제를 풀며 이해해요.

정답과 해설 p.24

A 우리말에 맞게 (   ) 안에서 알맞은 것을 고르세요.

1. He (often / sometimes) drinks coffee.
   그는 자주 커피를 마신다.
2. Dad (always / never) eats chocolate.
   아빠는 절대 초콜릿을 드시지 않는다.
3. The boy is (sometimes / usually) sick.
   그 남자아이는 가끔 아프다.
4. I (usually / often) go to school at 8:30.
   나는 보통 8시 30분에 학교에 간다.
5. Helen is (sometimes / always) kind.
   헬렌은 항상 친절하다.

B 우리말에 맞게 보기에서 알맞은 것을 골라 문장을 완성하세요.

보기	always	usually	often	sometimes	never

1. 내 남동생은 항상 집에 일찍 온다.
   → My brother __always__ comes home early.
2. 나의 할머니는 자주 쿠키를 구우신다.
   → My grandma ________ bakes cookies.
3. 그녀는 가끔 학교에 지각한다.
   → She is ________ late for school.
4. 우리는 보통 방과 후에 축구를 한다.
   → We ________ play soccer after school.
5. Eva(에바)는 절대 늦게 잠자리에 들지 않는다.
   → Eva ________ goes to bed late.

C

다음 ( ) 안에서 알맞은 것을 고르세요.

❶ Jack (never has / has never) breakfast.

❷ It (often snows / snows often) in winter.

❸ She (never is / is never) late for school.

❹ The boys (are always / always are) polite.

❺ I (arrive usually / usually arrive) at school early.

❻ He (will sometimes / sometimes will) read novels.

❼ Judy (goes always / always goes) to the library.

❽ They (usually are / are usually) busy on Mondays.

❾ You (can often / often can) see ducks at the park.

D

다음 문장에서 주어진 단어가 들어갈 위치를 고르세요.

❶ always — We ① brush ② our ③ teeth.

❷ sometimes — She ① cleans ② her ③ car.

❸ often — They ① are ② in ③ the ④ library.

❹ usually — We ① have ② lunch ③ together.

❺ never — I ① will ② forget ③ your ④ birthday.

❻ always — His ① room ② is ③ clean.

Step 3 배운 내용을 문장에 적용해요.

정답과 해설 p.24

A 우리말에 맞게 주어진 단어를 배열하세요.

1. 그 개는 가끔 짖는다. (barks / the dog / sometimes)

→ The dog sometimes barks.

2. 우리는 종종 축구를 한다. (often / we / soccer / play)

→

3. 그들은 항상 정직하다. (honest / are / they / always)

→

4. 고양이들은 보통 밤에 볼 수 있다. (can / at night / cats / see / usually)

→

5. 그는 절대 치과에 가지 않는다. (goes to / never / he / the dentist)

→

B 우리말에 맞게 주어진 단어를 이용하여 문장을 완성하세요. (필요하면 단어를 추가하세요.)

1. James(제임스)는 자주 파스타를 요리한다. (pasta, cooks)

→ James often cooks pasta.

2. 그녀는 항상 집에 일찍 온다. (comes, early, home)

→

3. 나는 절대 무서운 영화를 보지 않는다. (scary movies, watch)

→

4. 그들은 저녁에 가끔 차를 마신다. (tea, drink)

→ ______ in the evening.

5. 우리는 주말에 보통 한가하다. (are, free)

→ ______ on weekends.

CHAPTER EXERCISE

정답과 해설 p.24

[01~02] 다음 중 형용사와 부사가 잘못 짝지어진 것을 고르세요.

01 ① soft - softly
② early - early
③ high - highly
④ happy - happily
⑤ honest - honestly

02 ① late - late
② wise - wisely
③ warm - warmly
④ simple - simplely
⑤ sudden - suddenly

[03~04] 다음 중 부사를 만드는 방법이 다른 것을 고르세요.

03 ① lucky ② easy
③ heavy ④ quiet
⑤ happy

04 ① sad ② fast
③ kind ④ beautiful
⑤ slow

[05~07] 다음 빈칸에 들어갈 말로 알맞은 것을 고르세요.

05 He plays the piano ________.

① good ② great
③ nice ④ well
⑤ wonderful

06 The actor is ________ handsome.

① quiet ② really
③ famous ④ beautiful
⑤ kind

07 The kids cross the street ________.

① safe ② easy
③ busy ④ dangerous
⑤ carefully

[08~09] 다음 문장에서 주어진 단어가 들어갈 위치를 고르세요.

08 (often)
They ① go ② to ③ the park.

09 (always)
I ① will ② be ③ your ④ friend.

[10~13] 우리말에 맞게 보기에서 알맞은 것을 골라 알맞은 형태로 쓰세요.

<보기> late easy fast quiet

10 고양이들은 조용히 움직인다.

→ Cats move __________.

11 Ben(벤)은 학교에 늦었다.

→ Ben is __________ for school.

12 저 말은 매우 빨리 달린다.

→ That horse runs very __________.

13 그녀는 그 문제를 매우 쉽게 푼다.

→ She solves the problem very __________.

[14~16] 다음 밑줄 친 부분을 바르게 고쳐 쓰세요.

14 My dad <u>eats never</u> meat.

→ ____________________

15 The students study very <u>hardly</u>.

→ ____________________

16 You <u>can see often</u> stars here.

→ ____________________

[17~20] 다음 Nancy의 시간표를 보고, 보기에서 알맞은 것을 골라 문장을 완성하세요.

	Mon	Tue	Wed	Thu	Fri
	✓	✓	✓	✓	✓
	✓		✓		✓
		✓		✓	

<보기>
sometimes never always often

17 Nancy __________ paints pictures.

18 Nancy __________ plays soccer.

19 Nancy __________ read books.

20 Nancy __________ plays the piano.

정답과 해설 p.25

REVIEW

CHAPTER 5-6

A

다음 ( ) 안에서 알맞은 것을 고르세요.

❶ Don't drink too (many / much) juice.

❷ My parents (are often / often are) busy.

❸ This road is (dangerous / dangerously).

❹ There aren't (some / any) sheep on the farm.

❺ I (do usually / usually do) homework after school.

❻ John (always / never) eats cucumbers. He doesn't like them.

B

우리말에 맞게 보기의 단어를 이용하여 문장을 완성하세요.
(필요하면 단어의 형태를 바꾸세요.)

보기				
	all	many	late	nice
	often	always	usually	sometimes

❶ Anne ___sometimes___ comes home ___late___.
앤은 가끔 집에 늦게 온다.

❷ ______ people ______ visit the park.
많은 사람들이 자주 그 공원을 방문한다.

❸ My grandpa ______ knows ______ the answers.
나의 할아버지는 항상 모든 답을 알고 계신다.

❹ I ______ wear these ______ sunglasses.
나는 보통 이 멋진 선글라스를 쓴다.

❺ My sister is ______ ______ for school.
내 여동생은 종종 학교에 지각한다.

전치사

UNIT 1 **장소/위치/방향의 전치사**

장소를 나타내는 명사 앞에 알맞은 전치사를 쓸 수 있어요.

He is at home.

UNIT 2 **시간과 그 밖의 전치사**

시간을 나타내는 명사 앞에 알맞은 전치사를 쓸 수 있고,
그 밖의 다양한 전치사의 쓰임에 대해 알 수 있어요.

My birthday is in June.

장소/위치/방향의 전치사

He is **at** home.

Step 1 전치사란 무엇일까요?

전치사는 '앞에 놓인 말'이라는 뜻으로 명사나 대명사 앞에 쓰여 장소, 위치, 방향, 시간 등을 나타내는 말이에요.
장소의 전치사는 장소나 위치, 방향을 나타낼 때 쓰여요.

+ 장소를 나타내는 전치사 +

in	~ 안에, ~에 (내부, 비교적 넓은 지역, 나라, 도시)	A banana is in **the basket.** 바나나 한 개가 바구니 안에 있다. There are many people in **the zoo.** 많은 사람들이 동물원에 있다. Steve lives in **Korea.** 스티브는 한국에 산다.
at	~에 (비교적 좁은 지역, 특정한 지점)	He is at **home.** 그는 집에 있다. We are at **the bus stop.** 우리는 버스 정류장에 있다.
on	~ 위에 (표면에 닿은)	The books are on **the desk.** 책들이 책상 위에 있다.

+ 위치/방향을 나타내는 전치사 +

under	~ 아래에	under the bed 침대 아래에
in front of	~ 앞에	in front of the building 건물 앞에
behind	~ 뒤에	behind the house 집 뒤에
next to	~ 바로 옆에	next to me 내 바로 옆에
between A and B between the two ~	A와 B 사이에 두 ~ 사이에	between the school and the park 학교와 공원 사이에 between the two houses 두 집 사이에
across	~을 가로질러, ~의 건너편에	across the street 도로 건너편에

체크 전치사 뒤에 대명사가 올 때는 목적격으로 써야 해요.
They sit **next to** he. (X) → They sit **next to** him. (O)

Step 2 문제를 풀며 이해해요.

정답과 해설 p.26

A

우리말에 맞게 (   ) 안에서 알맞은 것을 고르세요.

1. 벌들이 꽃 위에 있다.
   → The bees are (on / under) the flower.

2. 나의 이모는 파리에 사신다.
   → My aunt lives (in / on) Paris.

3. Steve(스티브)는 내 뒤에 있다.
   → Steve is (behind / under) me.

4. 책상은 침대 바로 옆에 있다.
   → The desk is (next to / at) the bed.

5. 오렌지 한 개가 바구니 안에 있다.
   → There is an orange (on / in) the basket.

6. Frank(프랭크)와 나는 역에 있다.
   → Frank and I are (at / on) the station.

7. 도서관 앞에서 만나자.
   → Let's meet (behind / in front of) the library.

8. 네 휴대전화는 베개 아래에 있어.
   → Your cellphone is (in / under) the pillow.

9. 버스 정류장은 도로 건너편에 있다.
   → The bus stop is (in front of / across) the street.

10. 고양이는 소파와 탁자 사이에 있다.
    → The cat is (between / next to) the sofa and the table.

B 우리말에 맞게 보기에서 알맞은 말을 골라 문장을 완성하세요.

보기	at	on	in	behind	across	next to

1. The rock is ___behind___ the tent. 바위가 텐트 뒤에 있다.
2. My sister and I are __________ home. 내 언니와 나는 집에 있다.
3. My cousin works __________ New York. 내 사촌은 뉴욕에서 일한다.
4. They run __________ the bridge. 그들은 다리를 가로질러 달린다.
5. Jack puts his glasses __________ the desk. 잭은 그의 안경을 책상 위에 둔다.
6. The flower shop is __________ the bakery. 꽃 가게는 빵집 바로 옆에 있다.

C 우리말에 맞게 밑줄 친 부분을 바르게 고쳐 쓰세요.

1. There are cups <u>in</u> the table. → ___on___
   테이블 위에 컵들이 있다.
2. The children are <u>behind</u> the curtain. → __________
   아이들은 커튼 바로 옆에 있다.
3. There is a bench <u>between</u> the tree. → __________
   나무 아래에 벤치가 하나 있다.
4. We are <u>next to</u> the bookstore. → __________
   우리는 서점 앞에 있다.
5. The hospital is <u>in front of</u> the building. → __________
   병원은 그 건물 뒤에 있다.
6. There are eggs <u>on</u> the refrigerator. → __________
   냉장고 안에 계란들이 있다.
7. The motorcycle is <u>next to</u> the two cars. → __________
   그 오토바이는 두 차 사이에 있다.

Step 3 배운 내용을 문장에 적용해요.

정답과 해설 p.26

A

우리말에 맞게 주어진 단어를 배열하세요.

1. 실내화는 탁자 아래에 있다. (the table / are / the slippers / under)

→ The slippers are under the table.

2. 벽에 시계가 하나 있다. (is / the wall / there / on / a clock)

→

3. 그 비행기는 공항에 있다. (the airport / is / the plane / at)

→

4. 그녀의 자동차는 건물 뒤에 있다. (behind / car / the building / her / is)

→

5. Kevin(케빈)은 호수 바로 옆에 산다. (the lake / to / lives / Kevin / next)

→

B

**우리말에 맞게 주어진 단어를 이용하여 문장을 완성하세요.
(필요하면 단어를 추가하세요.)**

1. 그의 집은 3층에 있다. (is, the third floor, house)

→ His house is on the third floor.

2. 나의 할머니는 대구에 사신다. (Daegu, grandma, lives)

→

3. 집 앞에 나무들이 있다. (are, the house, trees, there)

→

4. 도로 건너편에 은행이 하나 있다. (the street, there, a bank, is)

→

5. 나의 집은 공원과 역 사이에 있다. (the station, the park, is, house)

→

시간과 그 밖의 전치사

UNIT 2 My birthday is **in** June.

Step 1 시간의 전치사와 그 밖의 전치사는 어떻게 쓰일까요?

시간의 전치사는 시간을 나타내는 명사 앞에 쓰여요. 특히 in, at, on은 우리말 뜻으로만 구분하기 어렵기 때문에 뒤에 오는 말에 따라 각각 알맞은 전치사를 써야 해요.

+ 시간을 나타내는 전치사 +

전치사	뜻	예	
in	~에 (아침, 오후, 저녁, 월, 계절, 연도)	in the morning 아침에 in the evening 저녁에 in summer 여름에	in the afternoon 오후에 in September 9월에 in 1950 1950년에
at	~에 (구체적인 시각, 하루의 때)	at 9 o'clock 9시 정각에 at noon 정오에	at 8 a.m. 오전 8시에 at night 밤에
on	~에 (요일, 날짜, 특정한 날)	on Monday 월요일에 on my birthday 내 생일에 on Christmas Day 크리스마스 날에	on June 7th 6월 7일에
before	~ 전에	before dinner 저녁 식사 전에	
after	~ 후에	after school 방과 후에	after an hour 한 시간 후에
for	~ 동안	for an hour 한 시간 동안	

✔ 체크 '전치사 on+요일'에서 요일 뒤에 -s를 붙이면 '~마다'라는 뜻이 돼요.
on Saturdays(토요일마다)

+ 그 밖의 다양한 전치사 +

전치사	뜻	예
with	(사람) ~와 함께 (도구) ~로, ~을 가지고	with my friends 내 친구들과 함께 with a spoon 숟가락으로
about	~에 대해, ~에 관한	about the movie 그 영화에 대해
to	~로, ~까지, ~에게	to the school 학교로, 학교까지 to him 그에게
for	~를 위해	for her 그녀를 위해
by	(교통수단) ~로, ~를 타고	by bus 버스로, 버스를 타고

'걸어서'라는 표현은 on foot로 나타내요.

Step 2 문제를 풀며 이해해요.

정답과 해설 p.27

A 다음 ( ) 안에서 알맞은 것을 고르세요.

1. He exercises (at / in) the evening. 그는 저녁에 운동한다.
2. She listens to music (at / on) night. 그녀는 밤에 음악을 듣는다.
3. Summer vacation starts (on / in) July. 여름방학은 7월에 시작된다.
4. The concert starts (on / at) 7 o'clock. 그 콘서트는 7시 정각에 시작한다.
5. We have a party (in / on) Christmas Day. 우리는 크리스마스 날에 파티를 한다.
6. I have a piano lesson (on / at) Thursdays. 나는 목요일마다 피아노 레슨이 있다.

B 우리말에 맞게 보기에서 알맞은 말을 골라 문장을 완성하세요.

보기 after for by with

1. 나는 엄마를 위해 꽃을 좀 산다.
→ I buy some flowers ___for___ my mom.

2. 방과 후에 축구를 하자.
→ Let's play soccer ______ school.

3. 그 아기는 한 시간 동안 낮잠을 잔다.
→ The baby takes a nap ______ an hour.

4. 나는 내 친구와 함께 숙제를 한다.
→ I do my homework ______ my friend.

5. Brian(브라이언)은 기차를 타고 서울에 간다.
→ Brain goes to Seoul ______ train.

C 우리말에 맞게 주어진 단어와 전치사를 이용하여 문장을 완성하세요.

❶ 그는 모든 사람에게 친절하다. (everyone)

→ He is kind ___to everyone___.

❷ 이것은 너를 위한 선물이야. (you)

→ This is a present ________.

❸ 나는 겨울에 자주 감기에 걸린다. (winter)

→ I often have a cold ________.

❹ 그 아이는 장난감들을 가지고 논다. (toys)

→ The kid plays ________.

❺ Jessie(제시)는 항상 그 가수에 대해 이야기한다. (the singer)

→ Jessie always talks ________.

D 다음 일과표를 보고, 빈칸에 알맞은 전치사를 넣어 문장을 완성하세요.

7:30 a.m.	get up	5:30 p.m.	read books
8:00 a.m.	have breakfast	6:00 p.m.	have dinner
8:30 a.m.	go to school	7:00 p.m.	do homework
3:00 p.m.	study English (Tue) play the piano (Fri)	9:00 p.m.	go to bed

❶ I get up ___at___ 7:30 ___in___ the morning.

❷ I go ________ school ________ breakfast.

❸ I play the piano ________ Fridays.

❹ I read books ________ 30 minutes ________ dinner.

❺ I go to bed ________ 9:00.

Step 3 배운 내용을 문장에 적용해요.

정답과 해설 p.27

A 우리말에 맞게 주어진 단어를 배열하세요.

❶ 그들은 겨울에 스케이트를 타러 간다. (winter / go / they / skating / in)

→ They go skating in winter.

❷ 나는 아침 식사 전에 운동한다. (breakfast / exercise / before / I)

→

❸ 이 영화는 음악에 관한 것이다. (about / is / music / movie / this)

→

❹ 우리는 버스를 타고 박물관에 간다. (to / by / we / the museum / go / bus)

→

❺ 그는 그의 가족과 함께 산다. (family / lives / his / with / he)

→

B 우리말에 맞게 주어진 단어를 이용하여 문장을 완성하세요. (필요하면 단어를 추가하세요.)

❶ 나는 오후 5시에 내 숙제를 마친다. (finish, homework, 5 p.m.)

→ I finish my homework at 5 p.m.

❷ Monica(모니카)는 매일 시장에 간다. (the market, goes)

→ ______ every day.

❸ 그녀는 저녁 식사 후에 산책을 한다. (takes a walk, dinner)

→

❹ 나는 내 생일에 영화를 본다. (a movie, birthday, watch)

→

❺ 우리는 우리 선생님을 위해 쿠키를 굽는다. (teacher, cookies, bake)

→

CHAPTER EXERCISE

정답과 해설 p.27

[01~02] 다음 빈칸에 들어갈 말로 알맞은 것을 고르세요.

01 We have lunch ______ noon.

① to ② in ③ at
④ on ⑤ for

02 Tony teaches English ______ Korea.

① at ② in ③ on
④ by ⑤ to

[03~05] 우리말에 맞게 ( ) 안에서 알맞은 것을 고르세요.

03 Children's day is (in / on) May 5th.
어린이날은 5월 5일이다.

04 The pool is (next to / in front of) that building.
수영장은 저 건물 앞에 있다

05 They talk (about / for) new computer games.
그들은 새 컴퓨터 게임에 대해 이야기한다.

[06~07] 다음 빈칸에 공통으로 들어갈 말로 알맞은 것을 고르세요.

06
· Don't sit ______ the bench.
· He swims ______ Saturdays.

① in ② for ③ at
④ on ⑤ about

07
· She puts the toys ______ the box.
· I exercise ______ the morning.

① to ② at ③ on
④ in ⑤ under

08 다음 빈칸에 들어갈 수 있는 전치사를 두 개 고르세요.

I do my homework ______ dinner.

① before ② to ③ on
④ with ⑤ after

[09~10] 다음 문장에서 주어진 단어가 들어갈 위치를 고르세요.

09 (for)
I ① take ② a ③ shower ④ 15 minutes.

10 (by)
Kate ① goes ② to ③ work
④ subway.

[11~16] 우리말에 맞게 보기에서 알맞은 말을 골라 쓰세요.

<보기> for before between
in front of next to across

11 그녀는 한 시간 동안 수학을 공부한다.
→ She studies math ________ an hour.

12 그 건물은 공원 바로 옆에 있다.
→ The building is ________ the park.

13 나는 11시 전에 잠자리에 든다.
→ I go to bed ________ 11.

14 그는 호수 건너편에 산다.
→ He lives ________ the lake.

15 카페 앞에 의자 두 개가 있다.
→ There are two chairs ________ the cafe.

16 그것은 은행과 도서관 사이에 있다.
→ It's ________ the bank and the library.

[17~18] 다음 밑줄 친 부분이 잘못된 것을 고르세요.

17 ① Are you at home?
② It's in the first floor.
③ I'm tired on Mondays.
④ The shop closes at 9 o'clock.
⑤ We go to the beach in summer.

18 ① Jason drives to work.
② I sleep for eight hours.
③ She goes shopping with I.
④ He goes home by car.
⑤ The plates are on the table.

19 다음 빈칸에 들어갈 말이 다른 것을 고르세요.

① The movie starts ______ 5:10.
② She often works ______ home.
③ I go to bed late ______ night.
④ Her birthday is ______ March.
⑤ Dad leaves home ______ 7 a.m.

20 다음 밑줄 친 단어의 의미가 다른 것을 고르세요.

① This is a gift for you.
② My aunt makes pies for us.
③ She buys flowers for her mom.
④ I watch TV for an hour.
⑤ He cooks for his family.

REVIEW

A

다음 ( ) 안에서 알맞은 것을 고르세요.

❶ We sometimes eat dinner (late / lately).

❷ Do you paint (in / with) a brush?

❸ The wind blows (gentle / gently).

❹ Serena (always is / is always) busy.

❺ Many cars are (on / for) the bridge.

❻ Her health is not (good / well).

B

우리말에 맞게 보기의 단어를 이용하여 문장을 완성하세요.

보기				
	often	usually	very	after
	on	at	in	to

❶ Leo gets many presents ___on___ his birthday.
레오는 그의 생일에 많은 선물을 받는다.

❷ It's ______ hot ______ summer.
여름에는 매우 덥다.

❸ He ______ plays soccer ______ school.
그는 보통 방과 후에 축구를 한다.

❹ Rick gets up ______ 7 o'clock ______ the morning.
릭은 아침 7시에 일어난다.

❺ My family ______ goes ______ that restaurant.
나의 가족은 종종 저 식당에 간다.

왓츠 그래머!

FINAL TEST 1회

01 다음 밑줄 친 부분이 올바른 것을 고르세요.

① She needs a salt.

② I have homework.

③ Chris buys notebook.

④ Nora listens to musics.

⑤ The kids play a basketball.

[02~04] 우리말에 맞게 보기에서 알맞은 말을 골라 문장을 완성하세요.

<보기> a	an	the

02 그것은 코끼리이다.

→ It is ________ elephant.

03 그 여자아이들은 내 사촌들이다.

→ ________ girls are my cousins.

04 달을 좀 봐.

→ Look at ________ moon.

05 다음 빈칸에 There is 또는 There are를 넣을 때, 들어갈 말이 다른 것을 고르세요.

① ____________ two rooms.

② ____________ umbrellas.

③ ____________ hope.

④ ____________ pencils.

⑤ ____________ rabbits.

[06~07] 다음 밑줄 친 부분을 대신해서 쓸 수 있는 대명사를 쓰세요.

06 Patrick loves his son.

→ ________________

07 David and I have a dog.

→ ________________

08 다음 짝지어진 단어의 관계가 보기와 다른 것을 고르세요.

<보기> I - my

① she - her ② you - your

③ he - his ④ they - theirs

⑤ we - our

09 다음 문장을 바꿔 쓸 때, 빈칸에 들어갈 말로 알맞은 것을 고르세요.

These are my textbooks.
→ These textbooks are ______.

① my ② his
③ their ④ mine
⑤ its

[10~11] 다음 밑줄 친 부분을 복수형으로 바꿔 쓰세요.

10 That is an umbrella.
저것은 우산이다.

→ ________________

11 Clara knows this girl.
클라라는 이 여자아이를 안다.

→ ________________

12 다음 밑줄 친 부분이 잘못된 것을 고르세요.

① The test is difficult.
② They are my friends.
③ The box are empty.
④ The girl is at school.
⑤ Tom and I are designers.

13 다음 빈칸에 들어갈 말이 바르게 짝지어진 것을 고르세요.

· ______ the boy tall?
그 남자아이는 키가 크니?
· Her socks ______ new.
그녀의 양말은 새것이 아니다.

① Is - isn't ② Is - are
③ Are - aren't ④ Is - aren't
⑤ Are - isn't

[14~15] 다음 빈칸에 들어갈 말로 알맞은 것을 고르세요.

14
Q ______ on the table?
A Yes, it is.

① Are they ② Is it
③ It is ④ They are
⑤ Does it

15
Q ______ walk to school?
A No, she doesn't.

① Does he ② She does
③ Does she ④ Is she
⑤ Is he

16 다음 밑줄 친 부분이 잘못된 것을 고르세요.

① Sam washes his hands.
② They take a walk.
③ Andy has breakfast.
④ The girls fly a kite.
⑤ My mom fixs the TV.

[17~18] 우리말에 맞게 주어진 단어를 이용하여 문장을 완성하세요.

17 내 여동생은 버섯을 좋아하지 않는다.

→ My sister ____________ ____________ mushrooms. (like)

18 Olive(올리브)와 Tom(톰)은 수학을 공부하지 않는다.

→ Olive and Tom ____________ ____________ math. (study)

19 다음 빈칸에 들어갈 말로 알맞지 않은 것을 고르세요.

This ________ cup is mine.

① black ② new
③ need ④ heavy
⑤ expensive

[20~21] 다음 (　) 안에서 알맞은 것을 고르세요.

20 (Every / All) the pictures are nice.

21 Michael remembers every (student / students).

[22~23] 다음 밑줄 친 부분을 바르게 고쳐 쓰세요.

22 Monica likes new her school.

→ ____________________

23 They don't have many butter.

→ ____________________

24 다음 중 빈칸에 공통으로 들어갈 말로 알맞은 것을 고르세요.

· There isn't ________ milk.
· Do you have ________ questions?

① much ② many
③ some ④ any
⑤ all

25 다음 밑줄 친 부사의 쓰임이 다른 것을 고르세요.

① We touch it gently.

② He drives carefully.

③ My brother eats fast.

④ My mom cooks very well.

⑤ Sara solves questions easily.

[26~28] 우리말에 맞게 주어진 단어를 이용하여 문장을 완성하세요.

26 아빠는 보통 오후 7시에 집에 오신다.

→ My dad ________ ________ home at 7 p.m. (come, usually)

27 그녀는 자주 학교에 지각한다.

→ She ________ ________ late for school. (often, be)

28 Jenny(제니)는 가끔 테니스를 칠 것이다.

→ Jenny ________ ________ ________ tennis. (sometimes, play, will)

29 다음 밑줄 친 부분이 올바른 것을 고르세요.

① He lives at England.

② I go jogging on 8 a.m.

③ Steve is on the bus stop.

④ We have a test at Monday.

⑤ The book is in the drawer.

30 다음 빈칸에 공통으로 들어갈 말을 보기에서 골라 쓰세요.

<보기> with on by for

· She sleeps ______ an hour.
· Paul buys gifts ______ him.

틀린 문제가 어느 챕터에 해당하는지 확인하고, 복습해보세요.

정답과 해설 p.29

1	2	3	4	5	6	7	8	9	10
Ch1	Ch1	Ch1	Ch1	Ch1	Ch2	Ch2	Ch2	Ch2	Ch2
11	**12**	**13**	**14**	**15**	**16**	**17**	**18**	**19**	**20**
Ch2	Ch3	Ch3	Ch3	Ch4	Ch4	Ch4	Ch4	Ch5	Ch5
21	**22**	**23**	**24**	**25**	**26**	**27**	**28**	**29**	**30**
Ch5	Ch5	Ch5	Ch5	Ch6	Ch6	Ch6	Ch6	Ch7	Ch7

FINAL TEST 2회

01 다음 밑줄 친 부분이 잘못된 것을 고르세요.

① I see a flower.
② He has a uncle.
③ The house is big.
④ The earth is beautiful.
⑤ Look at the elephants.

02 다음 중 틀린 문장을 고르세요.

① Kate has cats.
② We don't have time.
③ Sally has homework.
④ They play a basketball.
⑤ My brother speaks English.

03 다음 빈칸에 들어갈 말로 알맞지 않은 것을 두 개 고르세요.

There are ________ on the table.

① oranges ② cookies
③ butter ④ knife
⑤ eggs

[04~05] 다음 밑줄 친 부분을 인칭대명사로 바꿀 때 알맞은 것을 고르세요.

04 Ted knows my friends.

① him ② they
③ her ④ them
⑤ their

05 Mr. Robin is busy.

① Him ② He
③ It ④ She
⑤ They

[06~08] 다음 주어진 단어를 빈칸에 알맞은 형태로 바꿔 쓰세요.

06 ________ color is yellow. (It)
그것의 색은 노란색이다.

07 The umbrella is not ________. (I)
그 우산은 내 것이 아니다.

08 ________ ________ are sweet. (that, candy)
저 사탕들은 달콤하다.

[09~10] 우리말에 맞게 밑줄 친 부분을 바르게 고쳐 쓰세요.

09 These gloves are Mac.
이 장갑은 맥의 것이다.

→ ____________

10 That pencil is your.
저 연필은 네 것이다.

→ ____________

[11~13] 다음 ( ) 안에서 알맞은 것을 고르세요.

11 Lucy (is not / not is) my sister.

12 The post office (is / are) on the first floor.

13 (Is / Are) they handsome?

14 다음 밑줄 친 부분이 올바른 문장을 고르세요.

① Sue visit him.
② My parents watches TV.
③ Harry goes to school.
④ Kevin teachs science.
⑤ The museum open at 10 a.m.

[15~16] 다음 빈칸에 들어갈 말로 알맞은 것을 고르세요.

15 ________ don't drink soda.

① Tom ② My brother
③ The girl ④ Susie and I
⑤ His son

16 Does ________ learn Korean?

① they ② your parents
③ her cousin ④ you
⑤ Kate and Jimmy

17 다음 중 밑줄 친 부분의 쓰임이 나머지와 다른 것을 고르세요.

① It is a cute doll.
② This is a big bag.
③ They are her new shoes.
④ The computers are old.
⑤ The green bike is yours.

FINAL TEST 2회

18 다음 빈칸에 all 또는 every를 넣을 때, 들어갈 말이 다른 것을 고르세요.

① ________ children are lovely.

② My dad likes ________ flowers.

③ I solve ________ the questions.

④ ________ my brothers are tall.

⑤ ________ room is empty.

[19~22] 우리말에 맞게 보기에서 알맞은 말을 골라 쓰세요.

<보기> many much some any

19 많은 쿠키들이 있다.

→ There are ________ cookies.

20 우리는 많은 돈이 필요하지 않다.

→ We don't need ________ money.

21 주스 좀 마셔도 될까요?

→ Can I have ________ juice?

22 Mike(마이크)는 연필이 하나도 없다.

→ Mike doesn't have ________ pencils.

23 다음 빈칸에 들어갈 말이 바르게 짝지어진 것을 고르세요.

· He plays the violin very ________.

· Jake talks ________.

① good - fastly

② good - fast

③ well - fast

④ well - fastly

⑤ good - gently

[24~26] 다음 문장에서 주어진 단어가 들어갈 위치를 고르세요.

24 (never)

She ① will ② forget ③ it.

25 (sometimes)

Emma ① is ② late ③ for ④ school.

26 (always)

Tony ① goes ② to ③ bed ④ early.

[27~28] 다음 빈칸에 공통으로 들어갈 말로 알맞은 것을 고르세요.

27

· Bob lives ______ Paris.
· My birthday is ______ March.

① on ② in
③ at ④ for
⑤ by

28

· The party is ______ December 24th.
· My dad puts his glasses ______ the table.

① in ② for
③ by ④ on
⑤ to

[29~30] 우리말에 맞게 ( ) 안에서 알맞은 것을 고르세요.

29 나는 기차를 타고 부산에 간다.

→ I go to Busan (by / for) train.

30 그 여자아이는 내 바로 옆에 있다.

→ The girl is (next to / behind) (I / me).

틀린 문제가 어느 챕터에 해당하는지 확인하고, 복습해보세요.

정답과 해설 p.30

1	2	3	4	5	6	7	8	9	10
Ch1	Ch1	Ch1	Ch2	Ch2	Ch2	Ch2	Ch2	Ch2	Ch2
11	**12**	**13**	**14**	**15**	**16**	**17**	**18**	**19**	**20**
Ch3	Ch3	Ch3	Ch4	Ch4	Ch4	Ch5	Ch5	Ch5	Ch5
21	**22**	**23**	**24**	**25**	**26**	**27**	**28**	**29**	**30**
Ch5	Ch5	Ch6	Ch6	Ch6	Ch6	Ch7	Ch7	Ch7	Ch7

패턴으로 말하는

초등 필수 영단어

교육부 지정 초등 영단어

원어민 영어 발음

문장 패턴

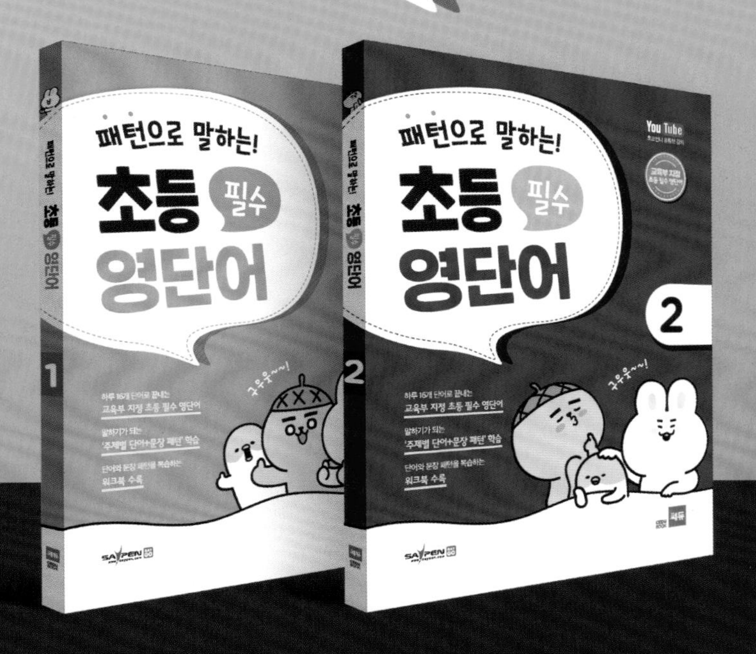

세이펜 적용 도서

SAYPEN www.saypen.com

자율 학습, 원어민 발음 학습 가능!

초코언니 학습 퀴즈 가능

1 '패턴으로 말하는 초등 필수 영단어'로 공부하면

교육부지정 초등필수 영단어

단어 960개 + 문장패턴 231개

= 말할 수 있는 문장 총 1,226개

2 무료 부가자료를 활용해보세요!

무료 부가자료 **따라쓰기 워크북, 단어 테스트지** 등으로

'초등 필수 영단어' 를 복습할 수 있어요 *쎄듀북 홈페이지 제공

3 친절한 설명과 유창한 발음의 초코언니 강의!

YouTube 유튜브에 **"공부합쎄듀"**를 검색하세요!

패턴으로 말하는 <초등 필수 영단어>를

무료로 학습할 수 있습니다.

쎄듀북닷컴(www.cedubook.com)에서 부가 자료를 무료로 다운로드할 수 있습니다.

쎄듀

1 구문 판매 1위 '천일문' 콘텐츠를 활용하여 정확하고 다양한 구문 학습

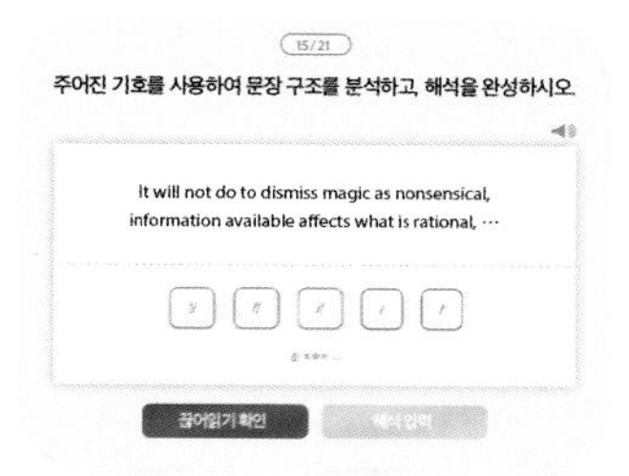
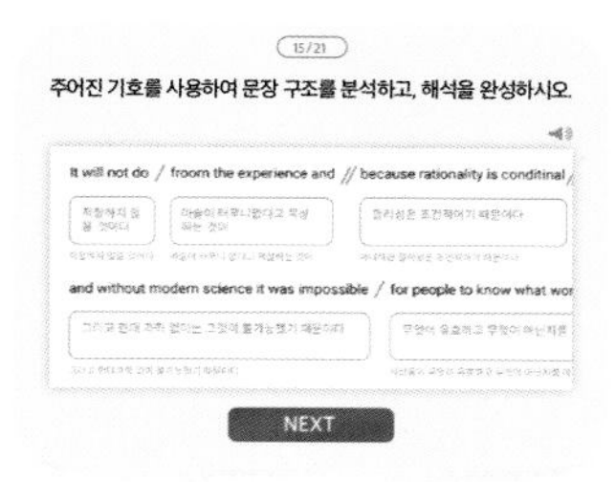

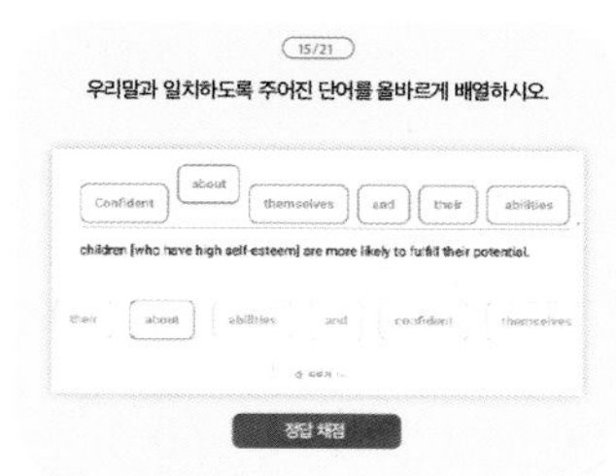

끊어읽기 | 해석하기 | 문장 구조 분석 | 해설·해석 제공 | 단어 스크램블링 | 영작하기

2 문법·서술형 쎄듀의 모든 문법 문항을 활용하여 내신까지 해결하는 정교한 문법 유형 제공

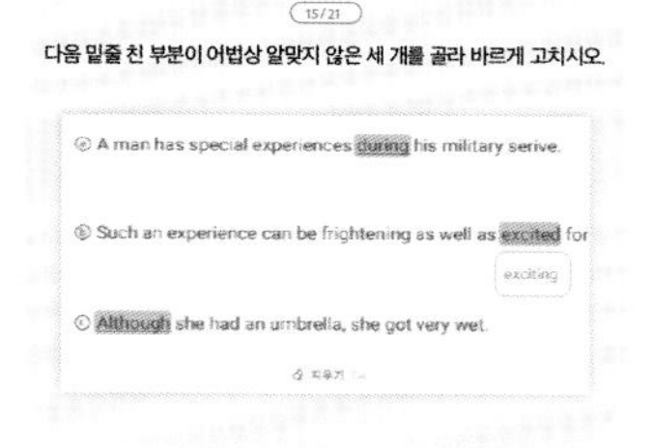
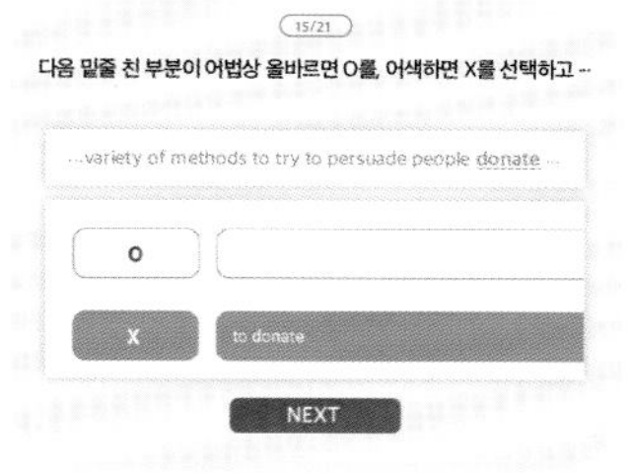
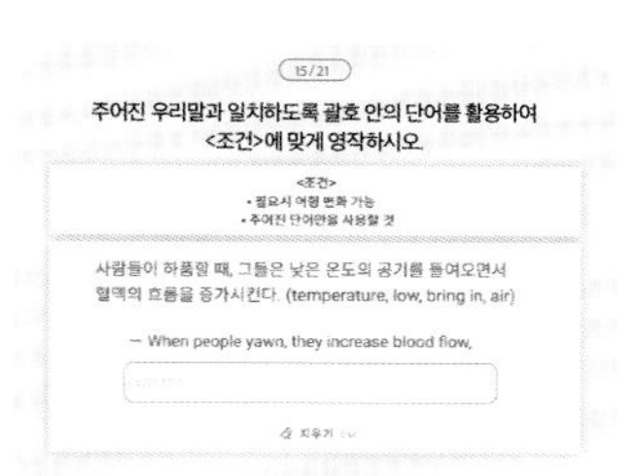
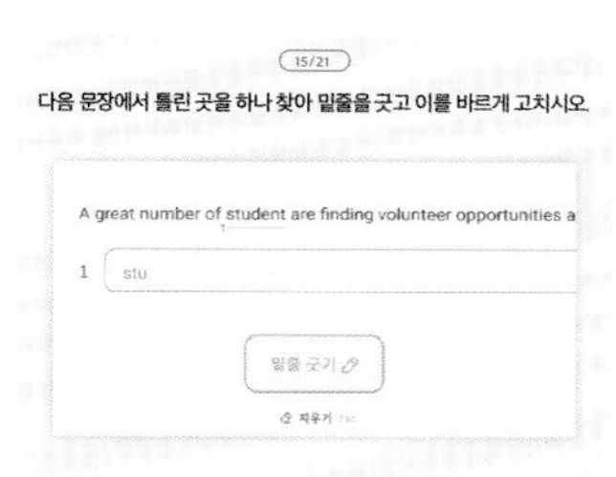

객관식과 주관식의 결합 | 문법 포인트별 학습 | 보기를 활용한 집합 문항 | 내신대비 서술형 | 어법+서술형 문제

3 어휘 초·중·고·공무원까지 방대한 어휘량을 제공하며 오프라인 TEST 인쇄도 가능

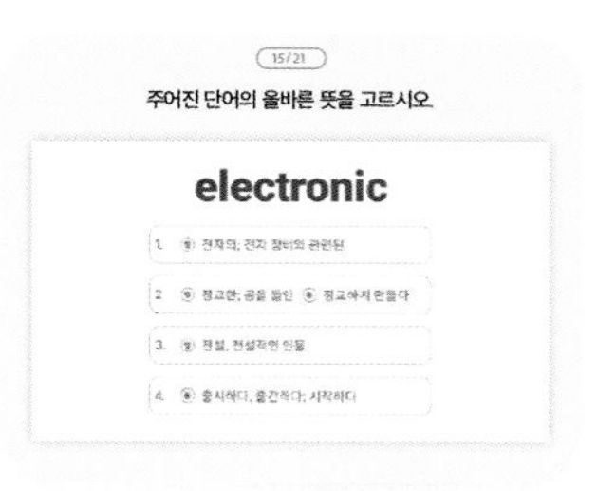

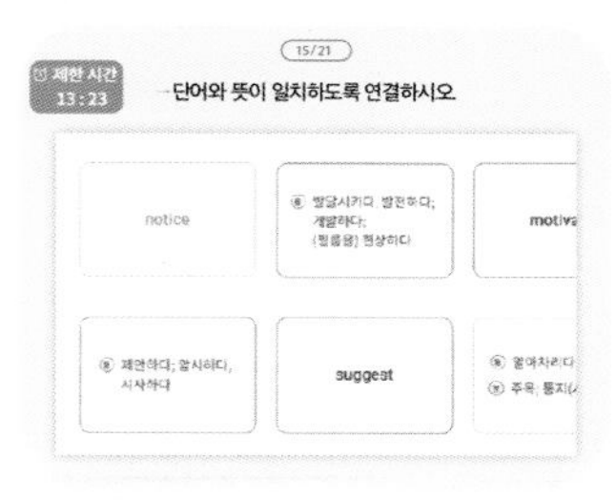

영단어 카드 학습 | 단어 ↔ 뜻 유형 | 예문 활용 유형 | 단어 매칭 게임

4 선생님 보유 문항 이용

Online Test | OMR Test

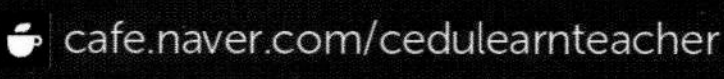

cafe.naver.com/cedulearnteacher

쎄듀런 학습 정보가 궁금하다면?

쎄듀런 Cafe

· 쎄듀런 사용법 안내 & 학습법 공유
· 공지 및 문의사항 QA
· 할인 쿠폰 증정 등 이벤트 진행

Grammar Plus

1

WORKBOOK

초등 필수 영문법

쎄듀

WORKBOOK

정답과 해설 p.34

UNIT 1 셀 수 있는 명사

우리말에 맞게 주어진 단어를 알맞은 형태로 쓰세요.

01 Five ___tomatoes___ are on the table. (tomato)
토마토 다섯 개가 탁자 위에 있다.

02 They eat ______________. (hamburger)
그들은 햄버거들을 먹는다.

03 Jack has three ______________. (watch)
잭은 손목시계 세 개를 가지고 있다.

04 The ______________ are in the basket. (toy)
그 장난감들은 바구니 안에 있다.

05 The ______________ eat ______________. (cat, fish)
고양이들은 생선을 먹는다.

06 My cousin needs ______________. (glass)
내 사촌은 안경이 필요하다.

07 The ______________ are on the playground. (child)
그 아이들은 운동장에 있다.

08 My sister doesn't wear ______________. (jean)
내 여동생은 청바지를 입지 않는다.

09 The ______________ cry at night. (baby)
그 아기들은 밤에 운다.

10 My mom wants four ______________. (dish)
엄마는 접시 네 개를 원하신다.

11 The ______________ are yellow. (leaf)
나뭇잎들이 노랗다.

12 ______________ and ______________ eat grass. (sheep, goat)
양들과 염소들은 풀을 먹는다.

UNIT 2 셀 수 없는 명사

다음 ( ) 안에서 알맞은 것을 고르세요.

01 The shop sells (bread / breads).
그 가게는 빵을 판다.

02 We play (basketball / a basketball) after school.
우리는 방과 후에 농구를 한다.

03 She doesn't have much (money / moneys).
그녀는 많은 돈을 가지고 있지 않다.

04 It is cold in (january / January).
1월에는 춥다.

05 I want a (piece / pieces) of pizza.
나는 피자 한 조각을 원한다.

06 Brian buys two loaves of (bread / breads).
브라이언은 빵 두 덩어리를 산다.

07 Jake and I listen to (music / musics).
제이크와 나는 음악을 듣는다.

08 Sam studies (math / a math).
샘은 수학을 공부한다.

09 He buys three (bottle / bottles) of juice.
그는 주스 세 병을 산다.

10 They do their (homework / homeworks) in the evening.
그들은 저녁에 숙제를 한다.

11 Kate drinks (milk / a milk) in the morning.
케이트는 아침에 우유를 마신다.

UNIT 3 a/an, the (관사)

다음 보기에서 알맞은 것을 골라 빈칸에 쓰세요.

보기	a	an	the	X

01 It is ____an____ ant.
그것은 개미이다.

02 I need ________ pencil.
나는 연필이 필요하다.

03 Jenny plays ________ guitar.
제니는 기타를 연주한다.

04 ________ umbrella is hers.
그 우산은 그녀의 것이다.

05 ________ moon is bright tonight.
오늘 밤 달이 밝다.

06 I have ________ dog. ________ dog is very cute.
나는 개가 있다. 그 개는 매우 귀엽다.

07 ________ Tony lives in ________ France.
토니는 프랑스에 산다.

08 My parents take a walk in ________ morning.
나의 부모님은 아침에 산책을 하신다.

09 Look at ________ sky. ________ sky is blue.
하늘을 좀 봐. 하늘이 파래.

10 David has ________ car. ________ car is red.
데이비드는 자동차가 있다. 그 자동차는 빨간색이다.

Grammar in Sentences

우리말에 맞게 주어진 단어를 이용하여 문장을 완성하세요.
(필요하면 단어를 추가하거나 형태를 바꾸세요.)

01 사슴 열 마리가 공원에 있다. (deer, are, ten, in the park)

→ Ten deer are in the park.

02 Cindy(신디)는 오늘 수업이 세 개 있다. (has, class, three)

→ ______________________ today.

03 그는 영어를 좋아한다. (english, likes, he)

→ ______________________

04 칼 다섯 개가 탁자 위에 있다. (knife, five, on the table, are)

→ ______________________

05 나는 다섯 개의 과목을 공부한다. (five, I, subject, study)

→ ______________________

06 내 여동생은 버터가 필요하다. (butter, sister, my, needs)

→ ______________________

07 Nicole(니콜)은 런던에 산다. (london, lives, in)

→ ______________________

08 그 아이들은 감자 두 개를 원한다. (want, the kids, potato, two)

→ ______________________

09 그녀의 친구는 바이올린을 연주한다. (her, friend, violin, plays)

→ ______________________

10 그들은 탄산음료 두 캔을 가지고 있다. (two, they, soda, have)

→ ______________________

정답과 해설 p.35

UNIT 1 인칭대명사 (주격/목적격)

다음 밑줄 친 부분을 알맞은 대명사로 바꿔 빈칸에 쓰세요.

01 She knows Sally and me. → us

02 My sister is a firefighter. → ________

03 Mr. Smith has a car. → ________

04 He loves his cousins. → ________

05 Jamie and I are students. → ________

06 We miss our grandma. → ________

07 My dad plays soccer on Sundays. → ________

08 I like his green cap. → ________

09 David and Ryan go to school. → ________

10 You know my uncle. → ________

11 Ms. White teaches Jane and me. → ________

12 The cafe is on the first floor. → ________

13 The rabbit eats carrots. → ________

14 My family helps you and Jin. → ________

15 My sister buys notebooks. → ________

UNIT 2 인칭대명사 (소유격/소유대명사)

우리말에 맞게 빈칸에 알맞은 말을 쓰세요.

01 The umbrella is ___mine___. 그 우산은 내 것이다.

02 ________ shoes are old. 그의 신발은 낡았다.

03 The car is ________. 그 차는 벤(Ben)의 것이다.

04 The necklace is ________. 그 목걸이는 그녀의 것이다.

05 ________ hair is long. 제니(Jenny)의 머리는 길다.

06 ________ schoolbag is green. 그녀의 책가방은 초록색이다.

07 ________ ears are small. 그것의 귀는 작다.

08 I like ________ new sweater. 나는 네 새 스웨터가 마음에 든다.

09 They know ________ address. 그들은 내 주소를 안다.

10 The house is ________. 그 집은 우리의 것이다.

11 He is ________ brother. 그는 그녀의 오빠이다.

12 ________ dog is cute. 그의 개는 귀엽다.

13 The boots are ________. 그 부츠는 그들의 것이다.

14 The textbook is ________. 그 교과서는 너의 것이다.

15 This is ________ eraser. 이것은 안젤라(Angela)의 지우개이다.

다음 밑줄 친 부분이 맞으면 O, 아니면 X한 후, 바르게 고쳐 쓰세요.

01 This houses is big. → X, This house
이 집은 크다.

02 These are my pictures. → ______
이것들은 내 사진들이다.

03 That are my parents. → ______
저분들은 나의 부모님이시다.

04 That girls is my sister. → ______
저 여자아이는 내 여동생이다.

05 These is a post office. → ______
이것은 우체국이다.

06 This socks are new. → ______
이 양말은 새것이다.

07 That is a ballerina. → ______
저 사람은 발레리나이다.

08 I like that comic books. → ______
나는 저 만화책들을 좋아한다.

09 This pencils is mine. → ______
이 연필은 내 것이다.

10 That are my classmates. → ______
저 아이들은 내 반 친구들이다.

11 Those are Cindy's cats. → ______
저것들은 신디의 고양이들이다.

Grammar in Sentences

우리말에 맞게 주어진 단어를 이용하여 문장을 완성하세요.
(필요하면 단어를 추가하거나 형태를 바꾸세요.)

01 그녀는 나를 가르친다. (teaches)

→ She teaches me.

02 우리는 그들을 도와준다. (help)

→

03 그 자전거는 그의 것이다. (the bicycle, is, he)

→

04 그는 Kate(케이트)의 삼촌이다. (is, uncle)

→

05 그것의 눈은 크다. (it, eyes, are, big)

→

06 저것들은 감자들이다. (that, are, potato)

→

07 그들은 이 배우를 좋아한다. (like, actor)

→

08 저 휴대전화는 비싸다. (cellphone, is, expensive)

→

09 이것들은 그의 장갑이다. (this, are, he, gloves)

→

10 그녀의 아들은 경찰관이다. (she, son, is, a police officer)

→

정답과 해설 p.36

UNIT 1 be동사의 쓰임

다음 보기에서 알맞은 be동사를 골라 빈칸에 쓰세요.

보기	am	are	is

01 Tom and I ___are___ classmates.
톰과 나는 반 친구이다.

02 Julie __________ at school now.
줄리는 지금 학교에 있다.

03 His sisters __________ young.
그의 여동생들은 어리다.

04 The cookies __________ delicious.
그 쿠키들은 맛있다.

05 I __________ very thirsty now.
나는 지금 매우 목이 마르다.

06 It __________ rainy today.
오늘은 비가 온다.

07 They __________ Judy's new shoes.
그것은 주디의 새 신발이다.

08 The cats __________ black.
그 고양이들은 검은색이다.

09 Jim __________ a police officer.
짐은 경찰관이다.

10 The hospital __________ next to the school.
그 병원은 학교 바로 옆에 있다.

UNIT 2 be동사의 부정문과 의문문

우리말에 맞게 빈칸에 알맞은 말을 쓰세요.

01 나는 유명한 가수가 아니다.

→ I'm not a famous singer.

02 그는 간호사니?

→ ______ ______ a nurse?

03 Jane(제인)은 지금 집에 없다.

→ Jane ______ at home now.

04 그녀는 캐나다에서 왔니?

→ ______ ______ from Canada?

05 그 연필들은 책상 위에 있지 않다.

→ The pencils ______ on the desk.

06 그 잡지는 재미있지 않다.

→ The magazine ______ interesting.

07 이것들은 비싸니?

→ ______ ______ expensive?

08 그들은 축구 선수들이 아니다.

→ They ______ soccer players.

09 그것은 뜨겁니?

→ ______ ______ hot?

10 그녀의 머리는 길지 않다.

→ Her hair ______ long.

UNIT 3 There is와 There are

다음 (　　) 안에서 알맞은 것을 고르세요.

01 There (is / are) a doll in the basket.

02 There (is / are) many cars on the street.

03 (Is / Are) there butter on the table?

04 There (is not / are not) many stars in the sky.

05 There is (a cat / cats) under the bed.

06 (Is / Are) there frogs in the pond?

07 There (is / are) four chairs in the kitchen.

08 (Is / Are) there much sugar?

09 There (is / are) a sofa in the living room.

10 There (isn't / aren't) a bookstore in my town.

11 There is (an eraser / erasers) in my pencil case.

12 Are there (a rabbit / rabbits) in the cage?

13 There (is / are) six children in the playground.

14 There are (a notebook / notebooks) in my bag.

15 There (is not / are not) much water in the bottle.

16 (Is / Are) there many people in the park?

Grammar in Sentences

우리말에 맞게 주어진 단어를 이용하여 문장을 완성하세요.
(필요하면 단어를 추가하거나 형태를 바꾸세요.)

01 Cathy(캐시)는 배가 고프지 않다. (be, hungry, not)

→ Cathy isn't hungry.

02 내 방에는 거울이 세 개 있다. (be, there, mirrors, three)

→ ________________ in my room.

03 그 가위는 날카롭니? (the scissors, be, sharp)

→ ________________

04 그 수업은 지루하다. (be, the class, boring)

→ ________________

05 교실 안에 두 명의 학생이 있다. (there, be, students, two)

→ ________________ in the classroom.

06 그녀는 레스토랑에 있다. (at the restaurant, be)

→ ________________

07 상자 안에 사과들이 있니? (apples, be, there)

→ ________________ in the box?

08 이 도시에는 공항이 없다. (an airport, not, be, there)

→ ________________ in this city.

09 Brian(브라이언)은 군인이 아니다. (not, be, a soldier)

→ ________________

10 그 수박들은 신선하니? (the watermelons, be, fresh)

→ ________________

UNIT 1 일반동사의 현재형

다음 주어진 동사를 빈칸에 알맞은 형태로 쓰세요.

01 My sister ___visits___ Paris. (visit)
내 여동생은 파리를 방문한다.

02 They ______________ ice cream. (like)
그들은 아이스크림을 좋아한다.

03 Maria ______________ TV every day. (watch)
마리아는 매일 TV를 본다.

04 The kids ______________ novels. (read)
그 아이들은 소설을 읽는다.

05 Julia ______________ her mom. (help)
줄리아는 그녀의 엄마를 돕는다.

06 She ______________ science. (study)
그녀는 과학을 공부한다.

07 My aunt ______________ lunch at 12. (have)
나의 이모는 12시에 점심을 드신다.

08 He ______________ water every day. (drink)
그는 매일 물을 마신다.

09 The boy ______________ his homework. (do)
그 남자아이는 숙제를 한다.

10 Paul and I ______________ bikes. (fix)
폴과 나는 자전거를 고친다.

11 Emily ______________ a shower in the evening. (take)
에밀리는 저녁에 샤워를 한다.

12 Matt and Jane ______________ basketball after school. (play)
매트와 제인은 방과 후에 농구를 한다.

UNIT 2 일반동사 현재형의 부정문

우리말에 맞게 주어진 단어를 이용하여 문장을 완성하세요.

01 그는 일본어를 하지 않는다.

→ He doesn't speak Japanese. (speak)

02 내 친구들은 서울에 살지 않는다.

→ My friends ________ ________ in Seoul. (live)

03 Brian(브라이언)은 고양이를 가지고 있지 않다.

→ Brian ________ ________ a cat. (have)

04 그 가게들은 일요일에 문을 열지 않는다.

→ The stores ________ ________ on Sundays. (open)

05 그 콘서트는 6시 정각에 시작하지 않는다.

→ The concert ________ ________ at 6 o'clock. (start)

06 Mary(메리)는 반지를 끼지 않는다.

→ Mary ________ ________ a ring. (wear)

07 그들은 설거지를 하지 않는다.

→ They ________ ________ the dishes. (wash)

08 그 남자는 산을 오르지 않는다.

→ The man ________ ________ mountains. (climb)

09 그의 사촌들은 햄버거를 먹지 않는다.

→ His cousins ________ ________ hamburgers. (eat)

10 내 남동생은 그 가게에서 일하지 않는다.

→ My brother ________ ________ at the store. (work)

UNIT 3 일반동사 현재형의 의문문

다음 문장을 의문문으로 바꿀 때, 빈칸에 알맞은 말을 쓰세요.

01 You understand the question. 너는 그 질문을 이해한다.

→ Do / you / understand the question?

02 It rains in London. 런던에 비가 온다.

→ ______ ______ ______ in London?

03 They take pictures. 그들은 사진을 찍는다.

→ ______ ______ ______ pictures?

04 Helen exercises every day. 헬렌은 매일 운동을 한다.

→ ______ ______ ______ every day?

05 The player runs fast. 그 선수는 빨리 달린다.

→ ______ ______ ______ ______ fast?

06 The girls ride bikes. 그 여자아이들은 자전거를 탄다.

→ ______ ______ ______ ______ bikes?

07 Judy goes to the library on Sundays. 주디는 일요일마다 도서관에 간다.

→ ______ ______ ______ to the library on Sundays?

08 She walks the dog every day. 그녀는 매일 개를 산책시킨다.

→ ______ ______ ______ the dog every day?

09 We have a math test today. 우리는 오늘 수학 시험이 있다.

→ ______ ______ ______ a math test today?

10 Mr. John buys many snacks. 존 씨는 많은 간식들을 산다.

→ ______ ______ ______ many snacks?

Grammar in Sentences

우리말에 맞게 주어진 단어를 이용하여 문장을 완성하세요.
(필요하면 단어를 추가하거나 형태를 바꾸세요.)

01 그 가게는 양말을 팔지 않는다. (sell, socks, the store)

→ The store doesn't sell socks.

02 Green(그린) 씨는 우리를 가르치신다. (teach, us, Ms. Green)

→ ______________________________

03 너는 역사를 배우니? (learn, history)

→ ______________________________

04 Gina(지나)는 일요일마다 늦게 잔다. (sleep, late)

→ ______________________________ on Sundays.

05 Noel(노엘)은 방과 후에 야구를 연습하지 않는다. (practice, baseball)

→ ______________________________ after school.

06 그는 그의 책상을 치우니? (clean, his desk)

→ ______________________________

07 그녀는 매일 머리를 빗는다. (brush, her hair)

→ ______________________________ every day.

08 그들은 내 이름을 모른다. (know, my name)

→ ______________________________

09 Andy(앤디)는 마늘을 싫어하지 않는다. (hate, garlic)

→ ______________________________

10 그 학생은 노트북을 사용하니? (the student, use, a laptop)

→ ______________________________

UNIT 1 형용사의 종류와 역할

우리말에 맞게 주어진 단어를 이용하여 문장을 완성하세요.
(필요하면 단어를 추가하거나 형태를 바꾸세요.)

01 This tree ___is___ ___big___. (be, big)
이 나무는 크다.

02 They are ______ ______ ______. (boots, red)
그것은 그녀의 빨간 부츠이다.

03 ______ ______ ______ is mine. (new, bicycle, the)
그 새 자전거는 내 것이다.

04 I like ______ ______ ______. (cute, dog)
나는 이 귀여운 개가 마음에 든다.

05 The sky ______ ______. (blue, be)
하늘이 파랗다.

06 He is ______ ______ ______. (son, first)
그는 내 첫째 아들이다.

07 ______ ______ ______ are on the table. (five, the, apples)
사과 다섯 개가 탁자 위에 있다.

08 ______ ______ ______ is his. (nice, car, the)
그 멋진 차 한 대는 그의 것이다.

09 It ______ ______ outside. (be, cold)
밖에는 춥다.

10 She wears ______ ______ ______. (watch, expensive, an)
그녀는 비싼 손목시계를 차고 있다.

11 ______ ______ ______ lives in Seoul. (second, daughter)
그의 둘째 딸은 서울에 산다.

UNIT 2 many/much, some/any

우리말에 맞게 보기에서 알맞은 말을 골라 쓰세요.

보기	many	much	some	any

01 그 집에는 많은 방이 있다.
→ The house has ___many___ rooms.

02 우리는 많은 시간이 없다.
→ We don't have ______ time.

03 나는 돈이 하나도 없다.
→ I don't have ______ money.

04 사과 좀 먹을래?
→ Do you want ______ apples?

05 약간의 소금이 있다.
→ There is ______ salt.

06 너는 펜을 좀 가지고 있니?
→ Do you have ______ pens?

07 Sue(수)는 많은 장난감을 가지고 있지 않다.
→ Sue doesn't have ______ toys.

08 물이 조금도 없다.
→ There isn't ______ water.

09 탄산음료 좀 마실래?
→ Do you want ______ soda?

10 Elly(엘리)는 질문이 좀 있다.
→ Elly has ______ questions.

UNIT 3 all/every

다음 (   ) 안에서 알맞은 것을 고르세요.

01 (All / Every) flowers need water.

02 I go hiking (all / every) fall.

03 (All / Every) my sisters learn English.

04 I listen to the song every (day / days).

05 She solves (all / every) the problems.

06 (All / Every) cheetah is fast.

07 (All / Every) my kids are smart.

08 We go camping (all / every) week.

09 My brother wins every (game / games).

10 Taylor loves (all / every) his children.

11 All (baby / babies) are cute.

12 (All / Every) person is different.

13 (All / Every) my cousins live in Busan.

14 Kate likes every (season / seasons).

15 Open (all / every) the doors.

16 All the (student / students) are at school now.

Grammar in Sentences

우리말에 맞게 주어진 단어를 이용하여 문장을 완성하세요.
(필요하면 단어를 추가하거나 형태를 바꾸세요.)

01 이 책들은 흥미롭다. (interesting, books)

→ These books are interesting.

02 이것은 넓은 방이다. (a, room, large)

→ ______________________________

03 나는 나의 새 반 친구가 마음에 든다. (like, classmate, new)

→ ______________________________

04 정원에 많은 장미들이 있다. (rose, there, are)

→ ______________________________ in the garden.

05 그는 많은 물을 마시니? (water, does, drink)

→ ______________________________

06 너는 정보를 좀 가지고 있니? (information, have, do)

→ ______________________________

07 우리는 커피를 좀 원한다. (coffee, want)

→ ______________________________

08 Jason(제이슨)은 모든 과목을 좋아한다. (likes, subject, every)

→ ______________________________

09 동물원에 호랑이가 하나도 없다. (tiger, aren't, there)

→ ______________________________ in the zoo.

10 내 모든 선생님들은 친절하시다. (all, are, teacher, kind)

→ ______________________________

UNIT 1 부사의 역할과 형태

우리말에 맞게 주어진 단어를 알맞은 형태로 쓰세요.

01 나무들은 여름에 빨리 자란다. (quick)
→ Trees grow quickly in summer.

02 그 아이들은 놀이터에서 행복하게 논다. (happy)
→ The kids play ________ at the playground.

03 아빠는 빠르게 운전하신다. (fast)
→ My dad drives ________.

04 그녀는 조용하게 읽는다. (quiet)
→ She reads ________.

05 그는 문제들을 쉽게 푼다. (easy)
→ He solves problems ________.

06 그 버스는 일찍 도착한다. (early)
→ The bus arrives ________.

07 오늘은 매우 춥다. (very, cold)
→ It is ________ ________ today.

08 Betty(베티)는 수학을 열심히 공부한다. (hard)
→ Betty studies math ________.

09 그는 춤을 매우 잘 춘다. (very, good)
→ He dances ________ ________.

10 그 선생님은 매우 친절하시다. (kind, real)
→ The teacher is ________ ________.

UNIT 2 빈도부사

우리말에 맞게 보기에서 알맞은 부사를 고르고, 주어진 말을 이용하여 문장을 완성하세요.

보기	always	usually	often	sometimes	never

01 아빠는 항상 바쁘시다.
→ My dad ___is___ ___always___ busy. (be)

02 나는 자주 방과 후에 체육관에 간다.
→ I ______ ______ to the gym after school. (go)

03 Lena(레나)와 Kate(케이트)는 가끔 피곤하다.
→ Lena and Kate ______ ______ tired. (be)

04 Tom(톰)은 보통 오전 8시에 일어난다.
→ Tom ______ ______ ______ at 8 a.m. (wake up)

05 내 남동생은 절대 거짓말을 하지 않을 것이다.
→ My brother ______ ______ tell a lie. (will)

06 그들은 보통 매우 조용하다.
→ They ______ ______ very quiet. (be)

07 우리는 항상 걸어서 학교에 간다.
→ We ______ ______ to school. (walk)

08 Sally(샐리)와 나는 가끔 책을 읽는다.
→ Sally and I ______ ______ books. (read)

09 Anna(안나)는 항상 예의 바르다.
→ Anna ______ ______ polite. (be)

10 Nate(네이트)와 Sam(샘)은 자주 배가 고프다.
→ Nate and Sam ______ ______ hungry. (be)

Grammar in Sentences

우리말에 맞게 주어진 단어를 이용하여 문장을 완성하세요.

01 그 남자아이는 시끄럽게 노래를 부른다. (loud, sings, the boy)

→ The boy sings loudly.

02 그 연은 하늘 높이 난다. (flies, high, the kite)

→ ______________________ in the sky.

03 나의 엄마는 매우 조심스럽게 운전하신다. (drives, my mom, careful, very)

→ ______________________

04 그 빌딩은 매우 오래되었다. (very, the building, is, old)

→ ______________________

05 그녀는 스케이트보드를 잘 탄다. (a skateboard, rides, good)

→ ______________________

06 그는 여름에 항상 해변에 간다. (goes to, always, the beach)

→ ______________________ in summer.

07 내 여동생은 보통 바쁘다. (is, my sister, busy, usually)

→ ______________________

08 Kevin(케빈)은 가끔 한국 음식을 요리한다. (Korean food, cooks, sometimes)

→ ______________________

09 우리는 자주 아침에 커피를 마신다. (drink, often, coffee)

→ ______________________ in the morning.

10 나는 절대 학교에 지각하지 않는다. (am, late, never)

→ ______________________ for school.

CHAPTER 7 전치사

정답과 해설 p.40

UNIT 1 장소와 방향 전치사

우리말에 맞게 ( ) 안에서 알맞은 것을 고르세요.

01 상자 안에 바나나가 한 개 있다.
→ There is a banana (in / on) the box.

02 강아지는 의자 위에 있다.
→ The puppy is (on / at) the chair.

03 카페는 도로 건너편에 있다.
→ The cafe is (across / in front of) the street.

04 가방은 문 뒤에 있다.
→ The bag is (under / behind) the door.

05 고양이는 두 자동차 사이에 있다.
→ The cat is (next to / between) the two cars.

06 사자들이 나무 아래에 있다.
→ The lions are (under / on) the tree.

07 아이들은 버스 정류장에 있다.
→ The children are (in / at) the bus stop.

08 남자아이는 그들 바로 옆에 있다.
→ The boy is (next to / behind) them.

09 네 야구모자는 소파와 탁자 사이에 있다.
→ Your cap is (across / between) the sofa and the table.

10 우체국 앞에서 만나자.
→ Let's meet (in front of / behind) the post office.

UNIT 2 시간과 그 밖의 전치사

우리말에 맞게 주어진 단어와 알맞은 전치사를 이용하여 문장을 완성하세요.

01 Jim(짐)의 생일은 7월 19일이다. (July 19th)

→ Jim's birthday is on July 19th.

02 그녀의 생일은 8월이다. (August)

→ Her birthday is ______________.

03 나의 누나는 나와 함께 있지 않다. (me)

→ My sister is not ______________.

04 미술 수업은 2시 정각에 시작한다. (2 o'clock)

→ The art class starts ______________.

05 그녀는 점심 식사 후에 커피를 마신다. (lunch)

→ She drinks coffee ______________.

06 내 가족은 크리스마스 날에 만난다. (Christmas Day)

→ My family meets ______________.

07 Sam(샘)은 매일 비행기에 관한 책을 읽는다. (planes)

→ Sam reads books ______________ every day.

08 그것은 그들의 부모님을 위한 편지이다. (their parents)

→ It's a letter ______________.

09 Thomas(토마스)는 학교까지 걸어서 간다. (school)

→ Thomas walks ______________.

10 Tom(톰)은 아침에 5분 동안 양치질을 한다. (5 minutes)

→ Tom brushes his teeth ______________ in the morning.

Grammar in Sentences

우리말에 맞게 주어진 단어를 이용하여 문장을 완성하세요.
(필요하면 단어를 추가하세요.)

01 이것은 희망에 관한 노래이다. (hope, is, this, a song)

→ This is a song about hope.

02 Jake(제이크)는 무대 바로 옆에 있다. (the stage, is)

→ ______________________________

03 Paul(폴)은 아침 식사 전에 물을 마신다. (drinks, water, breakfast)

→ ______________________________

04 나의 할아버지는 서울에 사신다. (Seoul, grandpa, lives)

→ ______________________________

05 그 책은 TV와 컴퓨터 사이에 있다. (the computer, the book, the TV, is)

→ ______________________________

06 Bill(빌)은 정오에 점심을 먹는다. (has, lunch, noon)

→ ______________________________

07 나의 이모는 기차를 타고 부산에 간다. (goes, to Busan, aunt, train)

→ ______________________________

08 그 여자아이는 학교 앞에 있다. (is, the girl, the school)

→ ______________________________

09 도로 건너편에 트럭이 한 대 있다. (the road, a truck, there, is)

→ ______________________________

10 Amy(에이미)는 한 시간 동안 신문을 읽는다. (reads, newspapers, an hour)

→ ______________________________

단어 따라 쓰기 연습지

단어 따라 쓰기 연습지로 **초등 필수 영단어까지 한 번에!**

일러두기

- ☑ 교재에 등장한 **교육부 지정 초등 필수 영단어**를 모두 정리했어요.
- ☑ **셀 수 있는 명사의 복수형, 동사의 3인칭 단수형**까지 함께 공부할 수 있어요.

CHAPTER 1 | 다음 단어의 뜻을 확인하고, 세 번씩 따라 써보세요.

UNIT 1

1	**boy** (boys)	남자아이	boy boy boy
2	**girl** (girls)	여자아이	
3	**mom** (moms)	엄마	
4	**teacher** (teachers)	선생님	
5	**dog** (dogs)	개	
6	**lion** (lions)	사자	
7	**flower** (flowers)	꽃	
8	**book** (books)	책	
9	**car** (cars)	자동차	
10	**desk** (desks)	책상	
11	**house** (houses)	집	
12	**building** (buildings)	건물, 빌딩	
13	**library** (libraries)	도서관	
14	**bus** (buses)	버스	
15	**apple** (apples)	사과	
16	**cat** (cats)	고양이	

17	**dish** (dishes)	접시	
18	**watch** (watches)	손목시계	
19	**box** (boxes)	상자	
20	**potato** (potatoes)	감자	
21	**piano** (pianos)	피아노	
22	**photo** (photos)	사진	
23	**baby** (babies)	아기	
24	**city** (cities)	도시	
25	**leaf** (leaves)	잎	
26	**knife** (knives)	칼	
27	**roof** (roofs)	지붕	
28	**man** (men)	(성인) 남자	
29	**woman** (women)	(성인) 여자	
30	**foot** (feet)	발	
31	**tooth** (teeth)	이, 치아	
32	**mouse** (mice)	쥐	
33	**child** (children)	아이	
34	**fish** (fish)	물고기; 생선	
35	**sheep** (sheep)	양	
36	**deer** (deer)	사슴	
37	**toy** (toys)	장난감	
38	**day** (days)	하루; 요일	
39	**zoo** (zoos)	동물원	
40	**kangaroo** (kangaroos)	캥거루	

41	**socks**	양말	
42	**glasses**	안경	
43	**scissors**	가위	
44	**pants**	바지	
45	**jeans**	청바지	
46	**carrot** (carrots)	당근	
47	**orange** (oranges)	오렌지	
48	**brush** (brushes)	붓, 솔	
49	**fox** (foxes)	여우	
50	**chair** (chairs)	의자	
51	**monkey** (monkeys)	원숭이	
52	**wolf** (wolves)	늑대	
53	**friend** (friends)	친구	
54	**class** (classes)	수업	
55	**today**	오늘	
56	**octopus** (octopuses)	문어	
57	**grandma** (grandmas)	할머니	
58	**scarf** (scarves)	스카프	
59	**bag** (bags)	가방	
60	**room** (rooms)	방	
61	**need** (needs)	필요하다	
62	**have** (has)	가지고 있다; 먹다	
63	**sister** (sisters)	여동생, 누나, 언니	
64	**use** (uses)	사용하다, 이용하다	

65	**student** (students)	학생	
66	**aunt** (aunts)	이모, 고모, 숙모	
67	**wear** (wears)	입고[쓰고, 신고] 있다	
68	**horse** (horses)	말	
69	**peach** (peaches)	복숭아	
70	**yellow**	노란색의; 노란색	
71	**tomato** (tomatoes)	토마토	
72	**white**	흰색의; 흰색	
73	**teach** (teaches)	가르치다	

UNIT 2

1	**English**	영어	
2	**Sunday**	일요일	
3	**July**	7월	
4	**bread**	빵	
5	**butter**	버터	
6	**paper**	종이	
7	**water**	물	
8	**air**	공기	
9	**sugar**	설탕	
10	**rice**	쌀	
11	**hair**	머리카락, 털	
12	**math**	수학	
13	**soccer**	축구	

14	**money**	돈	
15	**homework**	숙제	
16	**time**	시간	
17	**love**	사랑	
18	**music**	음악	
19	**health**	건강	
20	**cup** (cups)	컵, 잔	
21	**glass** (glasses)	(유리)잔	
22	**bottle** (bottles)	병	
23	**slice** (slices)	(얇고 납작한) 조각	
24	**piece** (pieces)	조각	
25	**sheet** (sheets)	한 장	
26	**loaf** (loaves)	덩어리	
27	**can** (cans)	캔	
28	**coffee**	커피	
29	**juice**	주스	
30	**milk**	우유	
31	**pizza**	피자	
32	**cake**	케이크	
33	**cheese**	치즈	
34	**soda**	탄산음료	
35	**bake** (bakes)	굽다	
36	**order** (orders)	주문하다; 명령하다	
37	**lemon** (lemons)	레몬	

38	**cow** (cows)	소	
39	**tiger** (tigers)	호랑이	
40	**eraser** (erasers)	지우개	
41	**robot** (robots)	로봇	
42	**table** (tables)	탁자, 테이블	
43	**salt**	소금	
44	**shark** (sharks)	상어	
45	**doctor** (doctors)	의사	
46	**classroom** (classrooms)	교실	
47	**live** (lives)	살다	
48	**drink** (drinks)	마시다	
49	**science**	과학	
50	**warm**	따뜻한	
51	**eat** (eats)	먹다	
52	**breakfast**	아침 식사	
53	**play** (plays)	(게임 등을)하다; 놀다; 연주하다	
54	**baseball**	야구	
55	**like** (likes)	좋아하다, 마음에 들어 하다	
56	**tuna**	참치	
57	**every day**	매일	
58	**buy** (buys)	사다, 구입하다	
59	**want** (wants)	원하다, 바라다	
60	**peace**	평화	
61	**do one's homework** (does one's homework)	숙제를 하다	

62	snow	눈	
63	long	(길이가) 긴	
64	every week	매주	
65	birthday (birthdays)	생일	
66	August	8월	
67	golf	골프	

UNIT 3

1	brother (brothers)	형, 오빠, 남동생	
2	train (trains)	기차	
3	ant (ants)	개미	
4	igloo (igloos)	이글루	
5	onion (onions)	양파	
6	umbrella (umbrellas)	우산	
7	uniform (uniforms)	교복	
8	university (universities)	대학	
9	hour (hours)	1시간	
10	cute	귀여운	
11	close (closes)	닫다	
12	door (doors)	문	
13	earth	지구	
14	world	세계	
15	sky	하늘	

16	**sun**	해, 태양	
17	**moon**	달	
18	**morning**	아침	
19	**afternoon**	오후	
20	**evening**	저녁	
21	**lunch**	점심 식사	
22	**dinner**	저녁 식사	
23	**Korean**	한국어	
24	**Monday**	월요일	
25	**elephant** (elephants)	코끼리	
26	**oil**	기름	
27	**doughnut** (doughnuts)	도넛	
28	**noodle** (noodles)	국수	
29	**cold**	추운	
30	**December**	12월	
31	**violin** (violins)	바이올린	
32	**brown**	갈색의; 갈색	
33	**store** (stores)	가게, 상점	
34	**look at** (looks at)	~을 보다	
35	**very**	매우	
36	**big**	큰	
37	**blue**	파란색의; 파란색	
38	**window** (windows)	창문	
39	**puppy** (puppies)	강아지	

40	**museum** (museums)	박물관	
41	**red**	빨간색의; 빨간색	
42	**uncle** (uncles)	삼촌, 고모부, 이모부	
43	**painter** (painters)	화가	
44	**flute** (flutes)	플루트	
45	**learn** (learns)	배우다	
46	**lake** (lakes)	호수	
47	**beautiful**	아름다운	
48	**son** (sons)	아들	
49	**daughter** (daughters)	딸	
50	**owl** (owls)	부엉이, 올빼미	
51	**hot**	뜨거운, 더운; 매운	
52	**watch** (watches)	보다	
53	**hamster** (hamsters)	햄스터	
54	**sweet**	달콤한, 단	

CH 1 | EXERCISE

1	**wife** (wives)	아내, 부인	
2	**dress** (dresses)	드레스, 원피스	
3	**cookie** (cookies)	쿠키	
4	**hat** (hats)	모자	
5	**towel** (towels)	수건, 타월	
6	**Japan**	일본	

7	**tall**	키가 큰	
8	**Chinese**	중국어; 중국의	
9	**idea** (ideas)	아이디어, 생각	
10	**turtle** (turtles)	거북	
11	**egg** (eggs)	달걀, 계란	
12	**round**	둥근	
13	**doll** (dolls)	인형	

CHAPTER 2 | 다음 단어의 뜻을 확인하고, 세 번씩 따라 써보세요.

UNIT 1

1	**love** (loves)	사랑하다, 매우 좋아하다	
2	**scientist** (scientists)	과학자	
3	**make** (makes)	만들다	
4	**same**	같은, 동일한	
5	**know** (knows)	알다	
6	**help** (helps)	돕다	
7	**delicious**	맛있는	
8	**busy**	바쁜	
9	**skateboard** (skateboards)	스케이트보드	
10	**T-shirt** (T-shirts)	티셔츠	
11	**clean** (cleans)	청소하다; 깨끗한	
12	**dad** (dads)	아빠	

13	**cook** (cooks)	요리사; 요리하다	
14	**go** (goes)	가다	
15	**school**	학교	
16	**honest**	정직한	
17	**remember** (remembers)	기억하다	
18	**visit** (visits)	방문하다	

UNIT 2

1	**soccer ball** (soccer balls)	축구공	
2	**new**	새, 새로운	
3	**pencil** (pencils)	연필	
4	**ring** (rings)	반지	
5	**lady** (ladies)	여성	
6	**clothes**	옷	
7	**song** (songs)	노래	
8	**tail** (tails)	꼬리	
9	**shoes**	신발	
10	**name** (names)	이름	
11	**green**	초록색의; 초록색	
12	**shirt** (shirts)	셔츠	
13	**cellphone** (cellphones)	휴대전화	
14	**classmate** (classmates)	반 친구	
15	**wash** (washes)	씻다	

16	**hand** (hands)	손	
17	**kind**	친절한	
18	**cap** (caps)	야구모자	
19	**notebook** (notebooks)	공책	
20	**coat** (coats)	코트	
21	**fur**	(일부 동물의) 털	
22	**soft**	부드러운	
23	**nice**	좋은, 멋진; 친절한	
24	**movie** (movies)	영화	
25	**lovely**	사랑스러운	

UNIT 3

1	**rose** (roses)	장미	
2	**camel** (camels)	낙타	
3	**parents**	부모님	
4	**cloud** (clouds)	구름	
5	**duck** (ducks)	오리	
6	**heavy**	무거운	
7	**sunglasses**	선글라스	
8	**post office** (post offices)	우체국	
9	**player** (players)	선수	
10	**vegetable** (vegetables)	채소, 야채	
11	**fresh**	신선한	

12	**grandfather** (grandfathers)	할아버지	
13	**kid** (kids)	아이	
14	**plate** (plates)	(납작하고 둥근) 접시	
15	**watermelon** (watermelons)	수박	
16	**singer** (singers)	가수	
17	**basketball player** (basketball players)	농구 선수	
18	**bird** (birds)	새	
19	**raincoat** (raincoats)	비옷	
20	**rock** (rocks)	바위	
21	**picture** (pictures)	그림; 사진	
22	**dirty**	더러운	
23	**expensive**	비싼, 돈이 많이 드는	
24	**computer** (computers)	컴퓨터	
25	**police officer** (police officers)	경찰관	
26	**color** (colors)	색깔	

CH 2 | EXERCISE + REVIEW (CH1-2)

1	**frog** (frogs)	개구리	
2	**tent** (tents)	텐트	
3	**smart**	똑똑한	
4	**rainbow** (rainbows)	무지개	
5	**seven**	일곱; 일곱의	
6	**great**	정말 좋은; 멋진; 대단한	

7	**fun**	재미있는	
8	**best**	가장 좋은, 최고의	
9	**black**	검은색의; 검은색	
10	**wonderful**	아주 멋진, 훌륭한	
11	**phone number** (phone numbers)	전화번호	
12	**ball** (balls)	공	
13	**ruler** (rulers)	자	
14	**alarm clock(= alarm)** (alarm clocks)	알람 시계	
15	**meet** (meets)	만나다	
16	**happy**	행복한	

CHAPTER 3 | 다음 단어의 뜻을 확인하고, 세 번씩 따라 써보세요.

UNIT 1

1	**be from**	~에서 오다, ~출신이다	
2	**angry**	화난	
3	**sad**	슬픈	
4	**hungry**	배고픈	
5	**pretty**	예쁜	
6	**pilot** (pilots)	비행기 조종사	
7	**street** (streets)	거리	
8	**spider** (spiders)	거미	
9	**wall** (walls)	벽	

10	**fan** (fans)	선풍기; 팬	
11	**home**	집; 집에	
12	**good**	좋은	
13	**grandparent** (grandparents)	조부, 조모	
14	**sunflower** (sunflowers)	해바라기	
15	**year** (years)	~살, 나이; 해, 년	
16	**old**	낡은, 오래된; 늙은	
17	**gloves**	장갑	
18	**actor** (actors)	배우	
19	**famous**	유명한	
20	**island** (islands)	섬	
21	**firefighter** (firefighters)	소방관	
22	**garden** (gardens)	정원	
23	**teacher** (teachers)	선생님	
24	**U.S. (= United States (of America))**	미국	
25	**fruit** (fruits)	과일	
26	**sofa** (sofas)	소파	
27	**dentist** (dentists)	치과 의사	
28	**sleepy**	졸린	
29	**now**	지금, 이제	
30	**polite**	예의 바른	
31	**dancer** (dancers)	무용수, 댄서	
32	**letter** (letters)	편지	

33	**interesting**	재미있는, 흥미로운	
34	**baker** (bakers)	제빵사	
35	**boring**	재미없는, 지루한	
36	**coin** (coins)	동전	
37	**pocket** (pockets)	주머니	
38	**sweater** (sweaters)	스웨터	
39	**restaurant** (restaurants)	식당, 레스토랑	

UNIT 2

1	**sure**	확신하는, 확실한	
2	**farmer** (farmers)	농부	
3	**wrong**	틀린, 잘못된	
4	**snack** (snacks)	간식	
5	**spicy**	매운, 양념 맛이 강한	
6	**pencil case** (pencil cases)	필통	
7	**playground** (playgrounds)	놀이터, 운동장	
8	**test** (tests)	시험	
9	**difficult**	어려운	
10	**airport** (airports)	공항	
11	**large**	(규모가) 큰, (양이) 많은	
12	**game** (games)	게임	
13	**bike** (bikes)	자전거	
14	**thirsty**	목이 마른	

15	**album** (albums)	앨범	
16	**late**	늦은; 늦게	
17	**strong**	강한	
18	**open** (opens)	열다	
19	**tired**	피곤한, 지친	

UNIT 3

1	**bench** (benches)	벤치	
2	**rabbit** (rabbits)	토끼	
3	**kitchen** (kitchens)	부엌, 주방	
4	**star** (stars)	별	
5	**basket** (baskets)	바구니	
6	**living room** (living rooms)	거실	
7	**balloon** (balloons)	풍선	
8	**banana** (bananas)	바나나	
9	**animal** (animals)	동물	
10	**bus stop** (bus stops)	버스 정류장	
11	**mirror** (mirrors)	거울	
12	**panda** (pandas)	판다	
13	**stage** (stages)	무대	

CH 3 | EXERCISE + REVIEW (CH2-3)

1	**lazy**	게으른	
2	**nurse** (nurses)	간호사	
3	**American**	미국의	
4	**backpack** (backpacks)	책가방, 배낭	
5	**bee** (bees)	벌	
6	**soccer player** (soccer players)	축구 선수	
7	**taxi** (taxis)	택시	
8	**spoon** (spoons)	숟가락, 스푼	
9	**story** (stories)	이야기	

CHAPTER 4 | 다음 단어의 뜻을 확인하고, 세 번씩 따라 써보세요.

UNIT 1

1	**get up** (gets up)	일어나다	
2	**rise** (rises)	뜨다; 오르다	
3	**east**	동쪽	
4	**pass** (passes)	지나가다; (공을) 패스하다	
5	**mix** (mixes)	섞다	
6	**go** (goes)	가다	
7	**do** (does)	하다	
8	**cry** (cries)	울다	
9	**study** (studies)	공부하다	

10	**say** (says)	말하다	
11	**enjoy** (enjoys)	즐기다	
12	**French**	프랑스어	
13	**bank** (banks)	은행	
14	**shopping mall** (shopping malls)	쇼핑몰	
15	**speak** (speaks)	말하다	
16	**fix** (fixes)	고치다	
17	**climb** (climbs)	올라가다, 오르다	
18	**kite** (kites)	연	
19	**go to bed** (goes to bed)	잠자리에 들다	
20	**park** (parks)	공원	
21	**finish** (finishes)	끝내다, 마치다	
22	**work** (works)	일, 직장; 일하다	
23	**brush one's teeth** (brushes one's teeth)	이를 닦다	
24	**news**	뉴스	
25	**early**	일찍	
26	**tennis**	테니스	
27	**wash one's hair** (washes one's hair)	머리를 감다	
28	**beach** (beaches)	해변	
29	**concert** (concerts)	콘서트, 연주회	
30	**cousin** (cousins)	사촌	
31	**catch** (catches)	잡다; (공 등을) 받다	
32	**river** (rivers)	강	
33	**cheesecake**	치즈케이크	

UNIT 2

1	**short**	짧은; 키가 작은	
2	**take lessons** (takes lessons)	수업을 받다	
3	**party** (parties)	파티	
4	**father** (fathers)	아버지	
5	**hamburger** (hamburgers)	햄버거	
6	**bark** (barks)	짖다	
7	**listen to** (listens to)	~을 듣다	
8	**answer** (answers)	(대)답; 대답하다	
9	**read** (reads)	읽다	
10	**comic book** (comic books)	만화책	
11	**sell** (sells)	팔다	
12	**tell** (tells)	말하다	
13	**lie** (lies)	거짓말; 거짓말하다	
14	**go shopping** (goes shopping)	쇼핑하러 가다	
15	**do the dishes** (does the dishes)	설거지를 하다	
16	**run** (runs)	달리다, 뛰다	
17	**snowman** (snowmen)	눈사람	

UNIT 3

1	**farm** (farms)	농장	
2	**do the laundry** (does the laundry)	빨래를 하다	

3	**laptop** (laptops)	노트북 컴퓨터	
4	**drive** (drives)	운전하다	
5	**truck** (trucks)	트럭	
6	**penguin** (penguins)	펭귄	
7	**do taekwondo** (does taekwondo)	태권도를 하다	
8	**go camping** (goes camping)	캠핑을 가다	
9	**take a nap** (takes a nap)	낮잠을 자다	
10	**sports**	스포츠	
11	**swim** (swims)	수영하다	
12	**sea**	바다	
13	**chicken**	닭고기	
14	**hospital** (hospitals)	병원	
15	**grass**	풀; 잔디	
16	**grow** (grows)	키우다; 자라다	
17	**plant** (plants)	식물	
18	**address** (addresses)	주소	
19	**magazine** (magazines)	잡지	
20	**sleep** (sleeps)	자다	
21	**bed** (beds)	침대	

CH 4 | EXERCISE + REVIEW (CH3-4)

1	**begin** (begins)	시작하다	
2	**carry** (carries)	나르다; 가지고 다니다	

3	**try** (tries)	시도하다	
4	**worry** (worries)	걱정하다	
5	**sing** (sings)	노래하다	
6	**well**	잘	
7	**grandpa** (grandpas)	할아버지	
8	**walk** (walks)	걷다	
9	**push** (pushes)	밀다	
10	**ride** (rides)	타다	
11	**exercise** (exercises)	운동하다	
12	**stop** (stops)	멈추다	
13	**here**	여기에	
14	**take a bus** (takes a bus)	버스를 타다	

CHAPTER 5 | 다음 단어의 뜻을 확인하고, 세 번씩 따라 써보세요.

UNIT 1

1	**bad**	안 좋은, 나쁜	
2	**young**	어린, 젊은	
3	**fast**	빠른; 빠르게	
4	**slow**	느린	
5	**first**	첫 번째; 첫 번째의	
6	**second**	두 번째; 두 번째의	
7	**sunny**	화창한	

8	rainy	비가 오는	
9	cool	시원한	
10	windy	바람이 부는	
11	cloudy	흐린, 구름이 많은	
12	snowy	눈이 오는	
13	salty	짠	
14	sour	신	
15	exciting	신나는, 흥미진진한	
16	wet	젖은	
17	food	음식	
18	easy	쉬운	
19	**question** (questions)	질문; (시험) 문제	
20	**mountain** (mountains)	산	
21	**borrow** (borrows)	빌리다	
22	sharp	날카로운, 뾰족한	
23	**need** (needs)	필요하다	
24	**animal** (animals)	동물	
25	**dolphin** (dolphins)	돌고래	
26	safe	안전한	
27	dangerous	위험한	
28	**candy** (candies)	사탕	

UNIT 2

1	**spend** (spends)	(돈을) 쓰다; (시간을) 보내다	
2	**tea**	(음료로서의) 차	
3	**person** (people)	사람	
4	**plan** (plans)	계획; 계획하다	
5	**star** (stars)	별	

UNIT 3

1	**wing** (wings)	날개	
2	**move** (moves)	움직이다, 옮기다	
3	**engine** (engines)	엔진	
4	**giraffe** (giraffes, giraffe)	기린	
5	**neck** (necks)	목	
6	**subject** (subjects)	과목; 주제	
7	**bakery** (bakeries)	빵집, 제과점	
8	**language** (languages)	언어	
9	**different**	다른	
10	**solve** (solves)	풀다	
11	**problem** (problems)	문제	
12	**ostrich** (ostriches)	타조	
13	**brave**	용감한	
14	**jacket** (jackets)	재킷	

CH 5 | EXERCISE + REVIEW (CH4-5)

1	**wind** (winds)	바람	
2	**chocolate**	초콜릿	
3	**pen** (pens)	펜	
4	**cherry** (cherries)	체리	
5	**cola**	콜라	
6	**leg** (legs)	다리	
7	**tourist** (tourists)	관광객	
8	**ice cream**	아이스크림	
9	**strawberry** (strawberries)	딸기	
10	**grandmother** (grandmothers)	할머니	
11	**camera** (cameras)	카메라	

| CHAPTER 6 | 다음 단어의 뜻을 확인하고, 세 번씩 따라 써보세요.

UNIT 1

1	**puzzle** (puzzles)	퍼즐	
2	**really**	정말	
3	**slowly**	느리게	
4	**quiet**	조용한	
5	**quietly**	조용하게	
6	**careful**	조심하는, 주의 깊은	
7	**carefully**	조심스럽게, 주의하여	

8	happily	행복하게	
9	easily	쉽게	
10	lucky	운 좋은	
11	luckily	운 좋게	
12	gentle	부드러운	
13	gently	부드럽게	
14	simple	간단한	
15	simply	간단하게	
16	high	높은; 높게	
17	late	늦은; 늦게	
18	hard	어려운, 힘든, 딱딱한; 열심인; 열심히	
19	highly	매우, 대단히	
20	lately	최근에	
21	fly (flies)	날다	
22	busily	바쁘게	
23	smile (smiles)	미소 짓다	
24	soup	수프	
25	drum (drums)	드럼, 북	
26	loudly	큰 소리로; 소란하게	
27	sadly	슬프게	
28	quick	빠른	
29	quickly	빠르게	
30	beautifully	아름답게	
31	kindly	친절하게	

32 real	진짜의, 실제의	
33 sudden	갑작스러운	
34 suddenly	갑작스럽게	
35 safely	안전하게	
36 honestly	솔직히	
37 serious	심각한; 진지한	
38 seriously	심각하게; 진지하게	
39 skate (skates)	스케이트; 스케이트를 타다	
40 talk (talks)	말하다	
41 town (towns)	(작은) 도시; 시내	
42 view (views)	경치, 전망	
43 shine (shines)	빛나다	
44 brightly	밝게	
45 bookstore (bookstores)	서점	
46 perfectly	완벽하게	

UNIT 2

1 always	항상, 언제나	
2 usually	보통, 대개	
3 often	종종, 자주	
4 sometimes	가끔, 때때로	
5 never	절대 ~않다	
6 together	함께, 같이	

7	**tell a lie** (tells a lie)	거짓말하다	
8	**sick**	아픈	
9	**come** (comes)	오다	
10	**after school**	방과 후에	
11	**winter**	겨울	
12	**arrive** (arrives)	도착하다	
13	**novel** (novels)	소설	
14	**forget** (forgets)	잊다, 잊어버리다	
15	**at night**	밤에	
16	**see** (sees)	보다	
17	**pasta**	파스타	
18	**scary**	무서운, 겁나는	
19	**in the evening**	저녁에	
20	**free**	자유로운; 무료의	
21	**on weekends**	주말마다	

CH 6 | EXERCISE + REVIEW (CH5-6)

1	**softly**	부드럽게	
2	**newly**	최근에, 새로	
3	**wise**	지혜로운, 현명한	
4	**wisely**	현명하게	
5	**warmly**	따뜻하게	
6	**handsome**	멋진, 잘생긴	

7	**cross** (crosses)	(길을) 건너다	
8	**meat**	고기	
9	**paint** (paints)	(그림물감으로) 그리다; 페인트를 칠하다	
10	**subway** (subways)	지하철	
11	**cucumber** (cucumbers)	오이	

CHAPTER 7 | 다음 단어의 뜻을 확인하고, 세 번씩 따라 써보세요.

UNIT 1

1	**sit** (sits)	앉다, 앉아 있다	
2	**pillow** (pillows)	베개	
3	**bridge** (bridges)	다리	
4	**put** (puts)	놓다, 두다	
5	**shop** (shops)	가게, 상점	
6	**curtain** (curtains)	커튼	
7	**refrigerator** (refrigerators)	냉장고	
8	**motorcycle** (motorcycles)	오토바이	
9	**slipper** (slippers)	실내화	
10	**clock** (clocks)	시계	
11	**plane** (planes)	비행기	
12	**floor** (floors)	층; 바닥	
13	**station** (stations)	(기차)역, 정거장	

UNIT 2

1	**in the morning**	아침에	
2	**September**	9월	
3	**o'clock**	~시 (정각)	
4	**at noon**	정오(낮 12시)에	
5	**Christmas Day**	성탄절	
6	**vacation** (vacations)	방학; 휴가	
7	**summer**	여름	
8	**start** (starts)	시작하다	
9	**lesson** (lessons)	수업 (시간); 교훈	
10	**Thursday**	목요일	
11	**present** (presents)	선물	
12	**everyone**	모든 사람	
13	**have a cold** (has a cold)	감기에 걸리다	
14	**talk about** (talks about)	~에 대해 이야기하다	
15	**family** (families)	가족	
16	**market** (markets)	시장	
17	**take a walk** (takes a walk)	산책하다	

CH 7 | EXERCISE + REVIEW (CH6-7)

1	**Children's day**	어린이날	
2	**pool** (pools)	수영장	
3	**Saturday**	토요일	

4	**take a shower** (takes a shower)	샤워를 하다	
5	**go to work** (goes to work)	출근하다	
6	**cafe** (cafes)	카페	
7	**leave** (leaves)	(장소에서) 떠나다, 출발하다	
8	**gift** (gifts)	선물	
9	**pie**	파이	
10	**blow** (blows)	(바람이) 불다	
11	**get** (gets)	받다	

FINAL TEST 1-2회

1	**basketball**	농구	
2	**hope**	희망	
3	**textbook** (textbooks)	교과서	
4	**empty**	비어 있는, 빈	
5	**designer** (designers)	디자이너	
6	**wash one's hands** (washes one's hands)	손을 씻다	
7	**mushroom** (mushrooms)	버섯	
8	**touch** (touches)	만지다, 닿다	
9	**Japanese**	일본어	
10	**England**	잉글랜드; 영국	
11	**go jogging** (goes jogging)	조깅하러 가다	
12	**drawer** (drawers)	서랍	

초등 필수 영문법의 **기초를 탄탄히** 쌓는

• Start 시리즈 •

초등 교과 과정의
필수 기초 문법

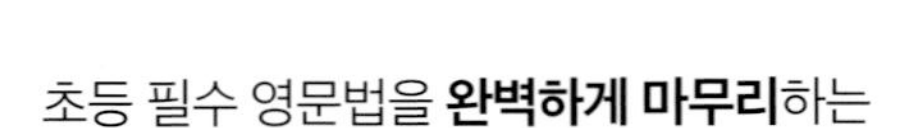

초등 필수 영문법을 **완벽하게 마무리**하는

• Plus 시리즈 •

초등 교과 과정의
필수 기초 문법 및 심화 문법

부가자료 다운로드

www.cedubook.com

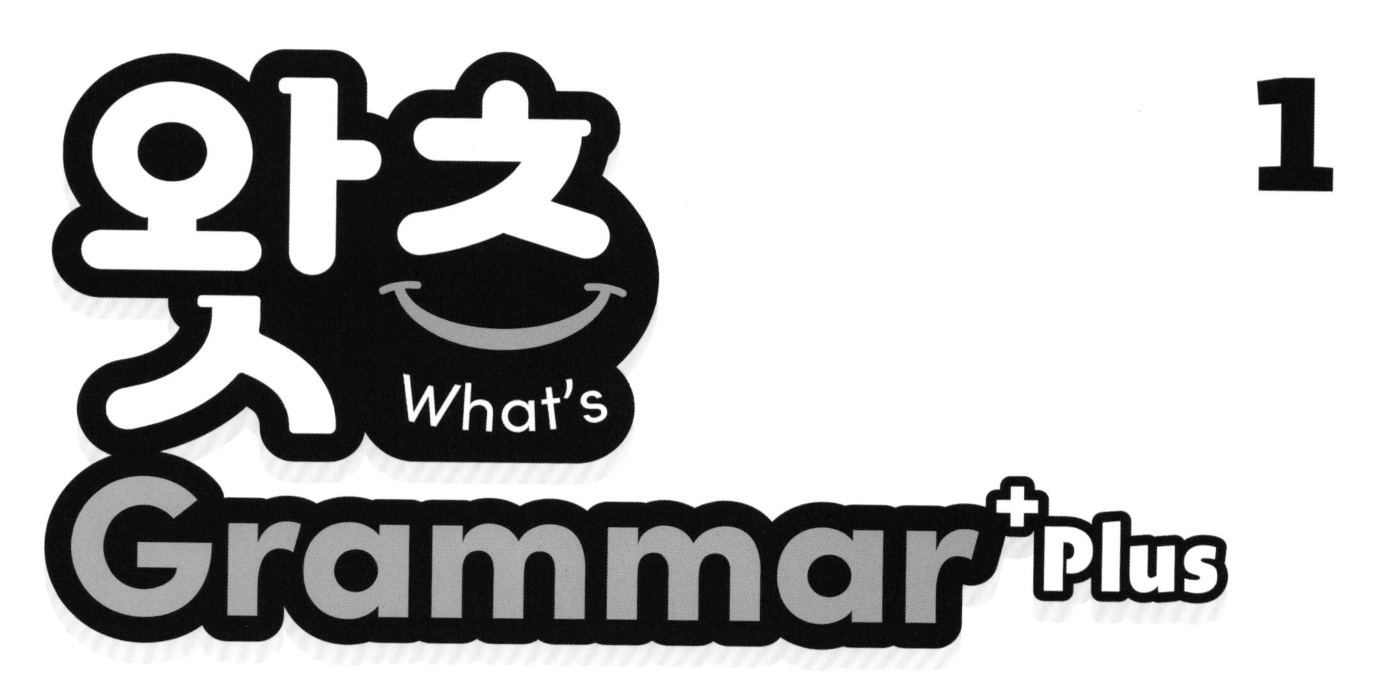

1

정답과 해설

쎄듀

정답과 해설

CHAPTER 1

명사와 관사

UNIT 1 셀 수 있는 명사

Step 2 p.13

A 1 복수 2 단수 3 단수
4 복수 5 복수 6 단수

B 1 dishes 2 foxes 3 chairs
4 monkeys 5 wolves 6 potatoes
7 cities 8 buses 9 zoos
10 watches 11 sheep 12 mice
13 feet 14 men 15 friends
16 children

→ 1, 2, 6, 8, 10 -sh, -x, -o, -s, -ch로 끝나는 명사의 복수형은 뒤에 -es를 붙인다.
4 '모음+y'로 끝나는 명사는 뒤에 -s를 붙인다.
5 -f로 끝나는 명사의 복수형은 f를 v로 고치고 -es를 붙인다.
7 '자음+y'로 끝나는 명사는 y를 i로 고치고 -es를 붙인다.
9 '모음+o'로 끝나는 명사는 뒤에 -s를 붙인다.
11 sheep은 단수형과 복수형의 모양이 같다.

C 1 classes 2 puppies 3 legs
4 scarves 5 bags 6 deer
7 rooms 8 teeth

→ 1 그녀는 오늘 수업 다섯 개가 있다.
2 제시카는 강아지 두 마리가 있다.
3 문어들은 여덟 개의 다리가 있다.
4 나의 할머니는 스카프를 여섯 개 가지고 계신다.
5 나의 누나[언니, 여동생]는 가방이 네 개 있다.
6 그들은 사슴이 일곱 마리 있다.
7 그 집은 세 개의 방이 있다.
8 그 아기는 이가 두 개 있다.

D 1 boxes 2 sisters 3 brushes
4 knives 5 student 6 babies
7 glasses

→ 1, 3 -x, -sh로 끝나는 명사의 복수형은 뒤에 -es를 붙인다.
4 -fe로 끝나는 명사의 복수형은 fe를 v로 고치고 -es를 붙인다.
5 앞에 '하나'를 의미하는 a가 있으므로 명사를 단수 형태로 써야 한다.
6 '자음+y'로 끝나는 명사는 y를 i로 고치고 -es를 붙인다.
7 glasses(안경)는 두 개가 짝을 이루어 항상 복수형으로 쓰는 명사이다.

Step 3 p.15

A 1 He has five horses.
2 She wants three peaches.
3 We have two fish.
4 The leaves are yellow.
5 They need two pianos.

B 1 They are my photos.
2 Tony has three tomatoes.
3 We have five sheep.
4 She likes white socks.
5 He teaches seven children.

→ 1 photo는 -o로 끝나는 명사지만, 뒤에 -s만 붙이는 예외 규칙을 따른다.
2 tomato는 -o로 끝나는 명사이므로 뒤에 -es를 붙여 복수형으로 쓴다.
3 sheep은 단수형과 복수형의 모양이 같으므로 그대로 쓴다.
4 socks(양말)는 두 개가 짝을 이루어 항상 복수형으로 쓰는 명사이다. '양말 한 짝'을 의미

할 때는 a sock으로 쓰이기도 한다.

5 child의 복수형 children으로 바꿔 쓴다.

UNIT 2 셀 수 없는 명사

Step 2 p.17

A 1 air 2 math 3 soccer
4 rice 5 butter 6 hair
7 money 8 salt 9 sugar
10 music 11 love 12 France

B 1 Seoul 2 juice 3 science
4 May 5 paper 6 Lucy
7 money 8 bread 9 baseball
10 music

→ 셀 수 없는 명사 앞에는 '하나'를 뜻하는 a나 an이 올 수 없고, 복수형으로도 만들 수 없다.

→ 4 '월'을 의미하는 고유한 이름이므로 항상 첫 글자를 대문자로 써야 한다.

C 1 cups 2 cans 3 bottle
4 slices 5 sheets 6 loaf

→ 1 커피, 차 등을 세는 단위는 cup(컵[잔])이고 앞에 two가 있으므로 복수형 cups가 알맞다.
2 캔에 든 참치 등을 세는 단위는 can(캔)이고 앞에 three가 있으므로 복수형 cans가 알맞다.
3 병에 든 물, 우유 등을 세는 단위는 bottle(병)이고 '한 병'이므로 bottle이 알맞다.
4 피자, 케이크 등을 세는 단위는 slice(조각)이고 앞에 two가 있으므로 복수형 slices가 알맞다.
5 종이를 세는 단위는 sheet(장)이고 앞에 ten이 있으므로 복수형 sheets가 알맞다.
6 빵을 세는 단위는 loaf(덩어리)이고 '한 덩어리'이므로 loaf가 알맞다.

D 1 peace 2 salt 3 coffee
4 piece 5 glasses 6 homework
7 pizza

→ 1 우리는 평화를 원한다.
2 우리는 소금이 필요하다.
3 그들은 커피를 원한다.
4 나는 케이크 한 조각을 원한다. / '하나'를 의미하는 a가 있으므로 pieces를 단수형으로 써야 한다.
5 나는 우유 두 잔을 마신다. / 앞에 two가 있으므로 우유를 세는 단위 glass를 복수형으로 고쳐 써야 한다.
6 다니엘은 숙제를 한다.
7 그녀는 피자 세 조각을 원한다. / 셀 수 없는 명사의 수나 양 표현은 세는 단위에만 -s/-es를 붙여 나타내고, 셀 수 없는 명사는 복수형으로 만들 수 없다.

Step 3 p.19

A 1 Sally is from France.
2 My friends like snow.
3 Kevin has long hair.
4 I need a bottle of water.
5 He eats three loaves of bread

B 1 I want three pieces of cheese.
2 They need rice.
3 Her birthday is in August.
4 My grandpa plays golf.
5 He drinks two cans of soda

→ 1 치즈를 세는 단위는 piece 또는 slice(조각)이고 '세 조각'이므로 복수형 pieces 또는 slices를 three 뒤에 쓴다.
2 rice(쌀)은 셀 수 없는 명사이므로 앞에 a가 올 수 없다. a를 지우고 rice로 쓴다.
3 August는 '월'을 의미하는 고유한 이름이므로 항상 첫 글자를 대문자로 써야 한다.
4 운동 이름을 나타내는 golf는 셀 수 없는 명사이므로 복수형으로 쓸 수 없다. -s를 지우고 golf로 쓴다.
5 캔에 든 음료를 나타내는 단위는 can(캔)이고 '두 캔'이므로 two 뒤에 복수형 cans를 쓴다.

UNIT 3 a/an, the (관사)

Step 2 p.21

A 1 a 2 a 3 X 4 a 5 an 6 X 7 a
8 an 9 an 10 X 11 X 12 a 13 an
14 X

→ 3, 6, 10 셀 수 없는 명사 앞에는 a나 an을 쓸 수 없다.
5, 8, 9, 13 모음(a, e, i, o, u) 발음으로 시작하는 단어 앞에는 an을 쓴다.
11, 14 복수 명사 앞에는 a나 an을 쓸 수 없다.

B 1 X 2 the 3 X 4 X 5 X 6 the
7 The 8 the 9 the 10 The

→ 1, 4 운동 이름이나 식사 이름 앞에는 관사를 쓰지 않는다.
2, 9 earth(지구), moon(달) 등은 세상에 하나뿐이므로 앞에 the를 쓴다.
3 복수 명사 앞에는 a를 쓸 수 없다.
5 '월' 등의 고유한 이름을 나타내는 명사 앞에는 관사를 쓰지 않는다.
6 악기 이름 앞에는 the를 쓴다.
7, 10 앞에 말한 명사를 다시 말할 때는 The를 쓴다.
8 '아침/오후/저녁' 앞에는 the를 쓴다.

C 1 the sky 2 a window
3 an igloo 4 a puppy (또는 a 삭제)
5 New York 6 The umbrella

→ 1 하늘을 봐.
2 그것은 창문이다.
3 그들은 이글루에서 산다.
4 우리는 강아지 한 마리가[강아지들이] 있다.
5 그 박물관은 뉴욕에 있다.
6 나는 우산 하나가 있다. 그 우산은 빨간색이다.

D 1 an, a 2 the 3 X 4 the 5 X 6 a, a
7 An, The

→ 1 '하나'를 의미하는 a와 an 중에 모음 발음으로 시작하는 uncle 앞에는 an이 알맞다.
painter(화가)는 특별히 정해지지 않은 '하나'를 의미하므로 앞에 a를 쓴다.
4 서로 알고 있는 것을 말할 때는 the를 쓴다.

Step 3 p.23

A 1 I need an orange.
2 We eat pizza for lunch.
3 My brother has a robot.
4 The sun is very hot.
5 He watches TV in the afternoon.

B 1 Look at the sky.
2 Alex has a hamster.
3 It is an octopus.
4 She plays the piano in the morning.
5 I have an apple. The apple is sweet.

→ 1 sky(하늘)는 세상에 하나뿐이므로 앞에 the를 쓴다.
4 악기 이름 piano 앞과 '아침'을 의미하는 morning 앞에는 the를 추가해서 쓴다.
5 첫 번째 문장의 apple 앞에는 '하나'를 의미하는 an을 추가해서 쓰고, 두 번째 문장의 apple 앞에는 앞 문장에서 말한 명사 apple을 다시 말하므로 The를 추가해서 쓴다.

CHAPTER EXERCISE

CHAPTER 1 p.24

01 ③ 02 ④ 03 ④ 04 ④ 05 ③
06 watches 07 dishes 08 fish
09 ② 10 ⑤ 11 glass 12 slices
13 loaves 14 an 15 a 16 jeans
17 ③ 18 ⑤ 19 knives 20 sheep
21 an idea 22 ⑤ 23 ④ 24 ④
25 a doll, The doll

01 ③ city는 '자음+y'로 끝나는 명사이므로 y를 i로 고치고 -es를 붙인다.

02 ④ woman의 복수형은 women이다.

03 ④ foot의 복수형은 feet이다.

06 빈칸 앞에 five가 있으므로 복수형으로 쓴다. -ch로 끝나는 명사는 뒤에 -es를 붙인다.

07 빈칸 앞에 two가 있으므로 복수형으로 쓴다. -sh로 끝나는 명사는 뒤에 -es를 붙인다.

08 fish는 단수형과 복수형이 같다.

09 톰은 두 _______이 있다. ① 아이들 ② 빵 ③ 자동차들 ④ 연필들 ⑤ 쿠키들 / 빈칸 앞에 two가 있으므로 빈칸에는 복수 명사만 들어갈 수 있다.
② bread는 셀 수 없는 명사이므로 들어갈 수 없다.

10 나는 _______ 하나가 필요하다. ① 물고기 ② 탁자 ③ 모자 ④ 수건 ⑤ 토마토들 / 빈칸 앞에 '하나'를 의미하는 a가 있으므로 빈칸에는 단수 명사만 들어갈 수 있다.
⑤ tomatoes는 복수 명사이므로 들어갈 수 없다.

11 나는 우유 한 잔을 마신다.

12 그들은 피자 세 조각을 먹는다.

13 그는 빵 두 덩어리를 원한다.

15 '바이올린 하나'를 의미하므로 a가 알맞다. 악기 이름 앞에 무조건 the가 오는 것은 아니므로 주의해야 한다.

16 jeans(청바지)는 두 개가 짝을 이루어 항상 복수형으로 쓰는 명사이다.

17 ① 나는 피터를 안다. ② 그들은 소금이 필요하다. ③ 그녀는 일본에 산다. ④ 그는 바나나 한 개를 원한다. ⑤ 그 두 남자는 키가 크다. / ③ 나라 이름은 고유한 이름이므로 첫 글자를 항상 대문자로 쓴다.

18 ① 나는 개미 한 마리가 보인다. ② 우리는 중국어를 공부한다. ③ 나는 남자 형제가 한 명 있다. ④ 신디는 과학을 좋아한다. ⑤ 그는 12시에 점심을 먹는다. / ⑤ 식사 이름 앞에는 관사를 쓰지 않는다.

21 idea는 모음 발음으로 시작하는 명사이므로 앞에 an을 쓴다.

22 · 나는 케이크 한 조각을 원한다. · 그녀는 치즈 한 조각을 먹는다. / 셀 수 없는 명사 cake와 cheese를 공통으로 셀 수 있는 단위는 ⑤ piece이다.

23 ① 나는 개미 한 마리가 보인다. ② 그것은 지우개이다. ③ 우리는 거북이 한 마리 있다. ④ 해를 봐. ⑤ 그녀는 달걀 한 개가 필요하다. / ④ sun은 세상에 하나뿐이므로 앞에 the를 쓴다. ①, ②, ⑤ 빈칸 뒤에 오는 셀 수 있는 명사가 모두 모음 발음으로 시작하므로 빈칸에 an이 들어갈 수 있다.
③ 셀 수 있는 명사 turtle 앞에는 a가 들어갈 수 있다.

24 · 달이 둥글다. · 케이트는 이글루를 본다. · 그들은 야구를 한다. / 세상에 하나뿐인 moon 앞에는 The가 들어가므로 ①과 ④ 중에 고른다. igloo는 모음 발음으로 시작하므로 앞에 an이 알맞고, 운동 이름 baseball 앞에는 관사를 쓰지 않으므로 ④가 정답이다.

CHAPTER 2

대명사

UNIT 1 인칭대명사 (주격/목적격)

Step 2 p.29

A 1 나는 2 me 3 you 4 너를, 너희들을
5 그는 6 him 7 she 8 그녀를
9 우리는 10 us 11 they 12 them
13 it 14 그것을

B 1 It 2 her 3 You 4 me 5 She
6 We, them 7 They, you 8 He, us

C 1 They 2 him 3 her 4 He
5 us 6 it 7 She 8 We

→ 1 제임스와 주디는 자동차가 있다. / 주어 역할을 하는 주격 대명사 They가 알맞다.
2 우리는 그 남자를 안다. / 동사 know의 목적어 역할을 하는 목적격 대명사 him이 알맞다.
3 라이언은 신디를 좋아한다. / 동사 likes의 목적어 역할을 하는 목적격 대명사 her가 알맞다.
4 내 형[오빠, 남동생]은 스케이트보드를 가지고 있다. / 주어 역할을 하는 주격 대명사 He가 알맞다.
5 로빈 씨는 케빈과 나를 가르치신다. / 동사 teaches의 목적어 역할을 하는 목적격 대명사 us가 알맞다.
6 그는 그의 파란색 티셔츠를 좋아한다. / 동사 likes의 목적어 역할을 하면서 단수 명사 his blue T-shirt를 대신할 수 있는 것은 it이다.
7 그린 씨는 우리 영어 선생님이다. / 주어 역할을 하는 주격 대명사 She가 알맞다. Ms.는 결혼 여부에 상관없이 여성의 성이나 이름 앞에 붙이는 말이다.
8 줄리와 나는 우리 교실을 청소한다. / 주어 역할을 하는 주격 대명사 We가 알맞다. We는 항상 'I(나)'를 포함한다.

D 1 He 2 They 3 him 4 We
5 She, them 6 He, it

→ 1 그는 꽃들을 구매한다.
2 그들은 요리사들이다.
3 너는 그를 안다.
4 우리는 학교에 간다.
5 그녀는 그들을 사랑한다.
6 그는 그것을 청소한다.

Step 3 p.31

A 1 They like you. 2 We want them.
3 He helps us. 4 I teach him.
5 You are honest.

→ 주격 대명사는 주어 자리인 문장 맨 앞에 쓰고, 목적격 대명사는 동사 뒤에 쓴다.

B 1 He remembers me.
2 She has a brother.
3 They are turtles.
4 I need it.
5 We visit her.

UNIT 2 인칭대명사 (소유격/소유대명사)

Step 2 p.33

A 1 my 2 mine 3 우리의 4 ours
5 your 6 his 7 그의 것 8 그녀의
9 hers 10 their

B 1 his 2 Its 3 theirs 4 my aunt's
5 my 6 Nate's 7 Your 8 hers

→ 소유격 대명사 뒤에는 항상 명사가 함께 쓰여 어떤 대상의 소유를 나타내지만, 소유대명사는 명사 없이 혼자 쓰인다.

→ 1 나는 그의 노래들을 안다.
2 그것의 꼬리는 길다.
3 그 신발은 그들의 것이다.
4 그 자동차는 내 이모[고모, 숙모]의 것이다. / 명사의 소유대명사(~의 것)는 명사 뒤에 's를 붙인다.
5 그들은 내 이름을 안다.
6 네이트의 가방은 초록색이다. / 명사의 소유격(~의)은 명사 뒤에 's를 붙인다.
7 당신의 집은 아름답다.
8 그 지우개는 그녀의 것이다.

C 1 his 2 my 3 Dan's 4 hers
5 our 6 yours 7 His 8 their
9 Her 10 Amy's

D 1 Our 2 mine 3 yours
4 Her 5 my sister's 6 their
7 his 8 Willy's

Step 3 p.35

A 1 He is their teacher.
2 The cake is his.
3 Its fur is soft.
4 Lucy's watch is nice.
5 I remember her sister's name.

B 1 Sam is my friend.
2 The desks are theirs.
3 We like his movies.
4 Brad's cats are lovely.
5 Our house is blue.

UNIT 3 지시대명사와 지시형용사

Step 2 p.37

A 1 This 2 Those 3 These 4 That
5 this 6 those

→ 1 이것은 내 연필이다. / '하나(my pencil)'를 가리키는 대명사는 This이다.
2 저분들은 내 삼촌들이다. / '여럿(my uncles)'을 가리키는 대명사는 Those이다.
3 이 나무들은 높다. / 뒤에 복수 명사 trees가 오므로 복수형 These가 알맞다.
4 저것은 우체국이다. / '하나(a post office)'를 가리키는 대명사는 That이다.
5 나는 이 노래를 좋아한다. / 뒤에 단수 명사 song이 오므로 단수형 this가 알맞다.
6 우리는 저 선수들을 안다. / 뒤에 복수 명사 players가 오므로 복수형 those가 알맞다.

B 1 These 2 Those 3 This 4 That
5 those 6 These

C 1 Those glasses 2 These flowers
3 Those 4 This watermelon
5 that singer 6 These

→ 1 안경은 짝을 이루는 명사이므로 항상 복수형 glasses로 쓴다. Those는 복수 명사를 꾸며준다.
2 복수 명사 flowers를 꾸며주는 지시형용사는 복수형 These이다.
3 '여럿(her plates)'을 가리키므로 복수형 Those가 알맞다.
4 단수 명사 watermelon을 꾸며주는 지시형용사는 단수형 This이다.

5 지시형용사 that은 단수 명사를 꾸며주므로 singer가 알맞다.

6 '여럿(basketball players)'을 가리키므로 복수형 These가 알맞다.

D 1 Those birds　2 These
3 Those　4 These houses
5 those girls　6 these movies

→ 1 저 새들은 흰색이다.
2 이것들은 내 비옷들이다.
3 저것들은 바위들이다.
4 이 집들은 아름답다.
5 나는 저 여자아이들을 안다.
6 제이크는 이 영화들을 좋아한다.

Step 3 p.39

A 1 These cookies are delicious.
2 This is his picture.
3 Those are Ted's friends.
4 That window is dirty.
5 This watch is expensive.

B 1 Those buildings are tall.
2 This computer is new.
3 That is our house.
4 These are police officers.
5 He likes these colors.

CHAPTER EXERCISE

CHAPTER 2 p.40

01 ④　02 ③　03 ⑤　04 ③　05 ④
06 It　07 Her　08 Those, your
09 These, his　10 ②　11 It[it]　12 his
13 ③　14 ⑤　15 The building's
16 our　17 Ben's　18 boys
19 theirs　20 ③

01 ④는 주격과 소유격 대명사의 관계이다. 나머지는 모두 주격과 목적격 대명사로 짝지어져 있다.

02 ③ it의 소유대명사는 없으므로 '소유격 - 소유격'의 관계이다. 나머지는 모두 소유격과 소유대명사의 관계이다.

03 ① 내 언니[여동생, 누나] ② 그 여자아이 ③ 에이미 ④ 그 여자 ⑤ 그 책상 / ⑤를 주격 대명사로 바꾸면 It이 되고, 나머지는 모두 She로 바꿀 수 있다.

04 ① 그 개구리 ② 그 가방 ③ 그 의자들 ④ 그 집 ⑤ 그 텐트 / ③은 복수 명사이므로 주격 대명사로 바꾸면 They가 되고, 나머지는 모두 It으로 바꿀 수 있다.

05 ① 나는 그녀를 사랑한다. ② 톰은 그녀를 방문한다. ③ 그녀의 여동생[언니]은 똑똑하다. ④ 그녀는 쿠키를 좋아한다. ⑤ 그는 그녀의 이름을 안다. / ④ 주어 자리이므로 주격 대명사 She가 들어가야 한다. ①과 ②에는 목적격 대명사 her(그녀를)가 들어가고, ③과 ⑤에는 소유격 대명사 Her[her](그녀의)가 들어간다.

10 ① 이 책은 재미있다. ② 저것은 내 지우개이다. ③ 이 책상들은 새것이다. ④ 저 오렌지들은 달다. ⑤ 저 아이는 내 남동생[형, 오빠]이다. / ②는 사물 한 개를 가리키는 지시대명사이고, 나머지는 모두 명사를 꾸며주는 지시형용사이다.

13 ① 나는 그를 좋아한다. ② 그녀는 나를 도와준다. ③ 그의 고양이는 검은색이다. ④ 우리는 그녀의 노래들을 좋아한다. ⑤ 그들은 학교에 간다. / ① 동사 like의 목적어 역할을 하는 목적격 him으로 고쳐야 한다. ② 동사 helps의 목적어 역할을 하는 목적격 me로 고쳐야 한다. ④ 뒤에 오는 명사 songs의 소유를 나타내는 소유격 her가 와야 한다. ⑤ 주어 역할을 하는 주격 They로 고쳐야 한다.

14 ① 이 책은 내 것이다. ② 저것은 그의 개다. ③ 이 인형들은 귀엽다. ④ 이 사람들은 내 친구들이다. ⑤ 저 집은 아주 멋지다. / ① 지시형용사 This 뒤에는 단수 명사 book이 와야 한다. ② '하나(his dog)'를 가리키는 단수형 That으로 고쳐야 한다. ③ 지시형용사 These 뒤에는 복수 명사 dolls가

와야 한다. ④ '여럿(my friends)'을 가리키는 복수 형 These로 고쳐야 한다.

20 ① 그것은 내 아빠의 차이다. ② 저것은 톰의 공이다. ③ 이 컵들은 그의 것이다. ④ 그들은 그의 친구들이다. ⑤ 이것은 헨리의 자이다. / ③ 지시형용사 These 뒤에는 복수 명사 cups가 와야 한다.

REVIEW

CHAPTER 1–2 p.42

A 1 mine 2 Your 3 socks 4 an 5 That

B 1 hers 2 Lily's 3 him 4 Those children 5 These cookies

C 1 my sister's 2 leaves 3 breakfast

A 1 이 컴퓨터는 내 것이다.
2 네 형[오빠, 남동생]은 키가 크다.
3 이 양말은 깨끗하다.
4 그는 알람시계가 필요하다. / alarm clock이 모음 발음(a)으로 시작하므로 an이 알맞다.
5 저 남자는 경찰관이다.

B 4 우리말에 맞게 지시형용사 that과 명사 child 모두 복수형으로 바꿔 쓴다. child의 복수형은 children이다.

C 1 명사의 소유대명사(~의 것)는 's를 명사 뒤에 붙인다.
2 leaf는 -f로 끝나는 명사이므로 복수형은 f를 v로 고치고 -es를 붙인다.
3 식사 이름 앞에는 관사를 쓰지 않는다.

CHAPTER 3 be동사

UNIT 1 be동사의 쓰임

Step 2 p.45

A 1 is, (어떠)하다 2 are, ~이다 3 are, (어떠)하다 4 is, ~(에) 있다

→ 1 그의 머리는 길다.
2 저 남자들은 비행기 조종사들이다.
3 그 거리들은 깨끗하다.
4 거미 한 마리가 벽에 있다.

B 1 is 2 am 3 is 4 are 5 are 6 are 7 is 8 are 9 is 10 are 11 is 12 is 13 are 14 are

→ 1 그것은 선풍기이다.
2 나는 내 방에 있다.
3 그녀는 집에 있다.
4 당신은 훌륭한 가수이다.
5 그들은 나의 조부모님이다.
6 우리는 같은 반이다.
7 이것은 해바라기이다.

8 그와 나는 11살이다.
9 그 물은 차갑다.
10 그 장갑은 내 것이다.
11 저 여자는 의사이다.
12 그 배우는 유명하다.
13 이 쿠키들은 맛있다.
14 그 책들은 책상 위에 있다.

C **1** is **2** am **3** is **4** are **5** is
6 are **7** is **8** are **9** is

D **1** is **2** I'm [I am] **3** are
4 is **5** are **6** is
7 are **8** are

→ 1 그의 숙모는 치과의사이다. / 주어가 단수 명사 His aunt(→ She)이므로 is가 알맞다.
2 나는 지금 졸리다.
3 그 아이들은 예의 바르다. / 주어가 복수 명사 The children(→ They)이므로 are가 알맞다.
4 저 공책은 케이트의 것이다. / 「That+단수 명사」 주어이므로 is가 알맞다.
5 브랜디와 나는 무용수이다. / 주어가 복수 명사 Brandy and I(→ We)이므로 are가 알맞다. 바로 앞 I만 보고 am으로 쓰지 않도록 주의한다.
6 그의 이름은 폴 화이트이다. / 주어가 단수 명사 His name(→ It)이므로 is가 알맞다.
7 그 편지들은 상자 안에 있다. / 주어가 복수 명사 The letters(→ They)이므로 are가 알맞다.
8 이 영화들은 재미있다. / 「These+복수 명사」 주어이므로 are가 알맞다.

Step 3 **p.47**

A **1** The earth is beautiful.
2 My uncles are bakers.
3 This movie is boring.
4 Noah is my classmate.
5 The coins are in my pocket.

B **1** Those sweaters are soft.
2 They are in the restaurant.
3 Your gloves are on the sofa.
4 She and I are twelve years old.
5 That boy is my brother.

UNIT 2 be동사의 부정문과 의문문

Step 2 **p.49**

A **1** is not **2** is not **3** is not
4 isn't **5** are not **6** are not
7 aren't **8** is not

→ 1 그것은 장미가 아니다.
2 그는 농부가 아니다.
3 네이트는 배고프지 않다.
4 그 물은 뜨겁지 않다. / 셀 수 없는 명사 뒤에는 항상 is가 오므로 is not의 줄임말 isn't가 알맞다.
5 저 양말은 내 것이 아니다. / 「Those+복수 명사」 주어이므로 are not이 알맞다.
6 우리는 도서관에 있지 않다.
7 벤과 토니는 학생이 아니다. / 주어가 복수 명사 Ben and Tony(→ They)이므로 are not의 줄임말 aren't가 알맞다.
8 그 책은 재미있지 않다. / 주어가 단수 명사 The book(→ It)이므로 is not이 알맞다.

B **1** Are **2** Am **3** Is **4** Are
5 Are **6** Is **7** Is **8** Are

→ 1 너는 화가 났니?
2 내가 틀렸니?
3 그 개는 그들의 것이니? / 의문문의 주어가 단수 명사 the dog(→ it)이므로 Is가 알맞다.
4 이 간식들은 맵니? / 의문문의 주어가 「these+복수 명사」이므로 Are가 알맞다.
5 그들은 영국에서 왔니?
6 이것은 네 필통이니? / 주어가 this이므로 Is가 알맞다.
7 저 여자 분은 네 선생님이니? / 의문문의 주어가 「that+단수 명사」이므로 Is가 알맞다.

8 그 남자아이들은 운동장에 있니? / 의문문의 주어가 복수 명사 the boys(→ they)이므로 Are가 알맞다.

C 1 is not 2 are not 3 is not
4 Is, she is 5 Is, it isn't 6 Are, they are

→ 1, 2, 3 be동사의 부정문 「be동사+not」의 형태로 쓴다.
4, 5, 6 be동사의 의문문 「be동사+주어 ~?」의 형태로 쓴다. 대답할 때 주어는 알맞은 대명사로 바꿔 써야 한다.

D 1 Are your brothers tall?
2 Her cat is not[isn't] on the desk.
3 Is this pizza delicious?
4 Those are not[aren't] our bikes.

→ 1 네 형들은 키가 크니?
2 그녀의 고양이는 책상 위에 있지 않다.
3 이 피자는 맛있니?
4 저것들은 우리의 자전거들이 아니다.

Step 3 p.51

A 1 He is not thirsty.
2 Is this your album?
3 She is not late for school.
4 Are Sally and Jane at the zoo?
5 These chairs are not strong.

B 1 Is the window open?
2 His aunt is not[isn't] a singer.
3 Is this cellphone yours?
4 Are the children under the tree?
5 Those players are not[aren't] tired.

UNIT 3 There is와 There are

Step 2 p.53

A 1 is 2 are 3 are 4 is
5 are 6 is not 7 are 8 are

→ 1, 4 주어가 셀 수 없는 명사이므로 is가 알맞다.
2, 3, 5, 7, 8 뒤에 오는 주어가 복수 명사이므로 are가 알맞다.
6 뒤에 오는 주어가 단수 명사이므로 is not이 알맞다.

B 1 Is, is 2 Is, isn't 3 Are, are
4 Is, is 5 Are, aren't

→ 1 Q: 방에 컴퓨터가 한 대 있니? A: 응, 그래. / 의문문의 주어가 단수 명사 a computer이므로 Is가 알맞다. 긍정의 대답이므로 is를 쓴다.
2 Q: 책상 위에 종이가 있니? A: 아니, 그렇지 않아. / 의문문의 주어가 셀 수 없는 명사 paper이므로 Is가 알맞다. 부정의 대답이므로 isn't를 쓴다.
3 Q: 정원에 꽃들이 있니? A: 응, 그래. / 의문문의 주어가 복수 명사 flowers이므로 Are가 알맞다. 긍정의 대답이므로 are를 쓴다.
4 Q: 나무 아래에 사자가 한 마리 있니? A: 응, 그래. / 의문문의 주어가 단수 명사 a lion이므로 Is가 알맞다. 긍정의 대답이므로 is가 알맞다.
5 Q: 상자 안에 세 권의 책이 있니? A: 아니, 그렇지 않아. / 의문문의 주어가 복수 명사 three books이므로 Are가 알맞다. 부정의 대답이므로 aren't를 쓴다.

C 1 are, pictures 2 is, balloon
3 Are, benches 4 Is, onion
5 are, rooms

→ 1 '몇몇 사진들'이므로 picture는 복수형으로 바꾸고 There 뒤에 are를 쓴다.
2 '풍선 한 개'이므로 balloon은 그대로 쓰고 There 뒤에 is를 쓴다.
3 '벤치 두 개'이므로 bench는 복수형으로 바꾸고 의문문은 Are로 시작한다.
4 '양파 한 개'이므로 onion은 그대로 쓰고 의문문은 Is로 시작한다.
5 '방 세 개'이므로 room은 복수형으로 바꾸고 There 뒤에 are를 쓴다.

D 1 are 2 is 3 are 4 are
5 Is 6 are 7 is 8 children

→ 1 약간의 달걀들이 있다. / 뒤에 복수 명사 eggs가 오므로 are가 알맞다. some은 수나 양을 나타내는 말이므로 some 뒤에 오는 명사를 주의해서 살펴본다.
2 약간의 우유가 있다. / 뒤에 셀 수 없는 명사 milk가 오므로 is가 알맞다.
3 많은 식당이 있다. / 뒤에 복수 명사가 오므로 are가 알맞다.
4 식탁 위에 다섯 개의 바나나가 있다.
5 나무에 부엉이가 한 마리 있니? / there 뒤에 단수 명사 주어 an owl이 있으므로 Is가 알맞다.
6 동물원에 많은 동물이 있다.
7 컵 안에 약간의 커피가 있다.
8 공원에 아홉 명의 아이들이 있다. / There are 뒤에는 복수 명사가 와야 한다.

Step 3 p.55

A 1 There are three erasers
2 Is there a bus stop?
3 There are two mirrors
4 There is some money
5 Are there many trees

→ '~이 있다'는 「There is/are+명사」의 순서로 쓰고 '~이 있니?'는 「Is/Are there+명사 ~?」의 순서로 쓴다.

B 1 Is there some sugar?
2 There is not[isn't] a book
3 Are there two pandas
4 There are many singers
5 There are four ants

CHAPTER EXERCISE

CHAPTER 3 p.56

01 ⑤ 02 ③ 03 ③ 04 ① 05 ②
06 ④ 07 is not[isn't] 08 Is
09 are 10 Is, isn't 11 Are, are
12 Is, is 13 Are, aren't 14 ②
15 ② 16 ③
17 The story is not[isn't] interesting.
18 These glasses are not[aren't] yours.
19 Are Amy and Kate friends?
20 Is there a box on the table?

02 ③ 단수 명사 주어 This car 뒤에는 is가 온다.
03 ______ 친절하다. ① 나의 언니[누나, 여동생]는 ② 그는 ③ 그 남자아이들은 ④ 그녀는 ⑤ 그 의사는 / 빈칸 뒤에 is가 오므로 주어 자리에 복수 명사 ③ The boys는 들어갈 수 없다.
04 ______ 깨끗하다. ① 물은 ② 내 신발은 ③ 그 방들은 ④ 그 가게들은 ⑤ 그 창문들은 / 빈칸 뒤에 are가 오므로 주어 자리에 셀 수 없는 명사 ① Water는 들어갈 수 없다.
05 ① 그것은 내 것이 아니다. ② 나는 슬프지 않다. ③ 너는 게으르지 않다. ④ 그들은 간호사가 아니다. ⑤ 그는 나의 선생님이 아니다.
06 ① 젠은 요리사이다. ② 그 개는 귀엽다. ③ 그 남자아이는 키가 크다. ④ 나의 이모들은 바쁘시다. ⑤ 저 남자는 미국인이다. / ④의 주어 My aunts는 복수 명사이므로 뒤에 are가 온다.
09 뒤에 복수 명사 bees가 오므로 are가 알맞다.
10 Q: 테드는 영국에 있니? A: 아니, 그렇지 않아.
11 Q: 저분들은 그의 부모님이니? A: 응, 그래.
12 Q: 책상 위에 공 하나가 있니? A: 응, 그래.
13 Q: 네 오빠[형, 남동생]들은 축구 선수들이니? A: 아니, 그렇지 않아.
14 ① 그것은 내 가방이 아니다. ② 나는 제빵사가 아니다. ③ 내 손은 더럽다. ④ 그 신발은 새것이니? ⑤ 그녀는 집에 없다. / ① not is는 is not으

로 고쳐야 한다. ③ 주어가 복수 명사이므로 is를 are로 고친다. ④ 의문문의 주어가 복수 명사 the shoes이므로 Are로 고친다. ⑤ She is의 줄임말은 She's이다.

15 ① 피아노가 한 대 있다. ② 몇몇 고양이들이 있다. ③ 두 여자아이가 있다. ④ 약간의 우유가 있다. ⑤ 많은 꽃들이 있다. / ② 뒤에 복수 명사 cats가 오므로 are로 고쳐야 한다.

16 약간의[몇몇] ______이 있다. ① 택시들 ② 여자들 ③ 물 ④ 숟가락들 ⑤ 남자아이들 / There are 뒤에는 복수 명사가 와야 하므로 셀 수 없는 명사 ③ water는 들어갈 수 없다.

17 그 이야기는 재미있다. → 그 이야기는 재미있지 않다.

18 이 안경은 네 것이다. → 이 안경은 네 것이 아니다.

19 에이미와 케이트는 친구이다. → 에이미와 케이트는 친구니?

20 탁자 위에 상자가 하나 있다. → 탁자 위에 상자가 하나 있니?

REVIEW

CHAPTER 2-3 p.58

A 1 is 2 his 3 are 4 is 5 She 6 them

B 1 There are 2 That is my 3 these, yours 4 Those are her 5 My, is not

A 1 그 영화는 재미있다.

2 나는 그의 형[남동생]을 안다. / 뒤에 명사 brother가 오므로 소유격 대명사 his가 알맞다. hers는 '그녀의 것'이라는 소유대명사이므로 뒤에 명사가 쓰이지 않는다.

3 저 사람들은 나의 반 친구들이다.

4 무대 위에 피아노가 한 대 있다.

5 나의 언니[여동생, 누나]는 농구를 한다. 그녀는 키가 크다. / 앞 문장의 My sister를 가리키는 주격 대명사 She가 알맞다.

6 데이비드는 새 신발이 있다. 그는 그것을 좋아한다. / 앞 문장의 new shoes를 가리키는 목적격 대명사 them이 알맞다.

CHAPTER 4 일반동사

UNIT 1 일반동사의 현재형

Step 2 p.61

A 1 have, 가지고 있다 2 does, 하다 3 rises, 떠오르다 4 studies, 공부하다 5 wash, 씻다 6 teaches, 가르치다 7 works, 일하다 8 closes, 닫다

→ 1 우리는 컴퓨터가 두 대 있다.

2 로이는 숙제를 한다.

3 태양은 동쪽에서 떠오른다.

4 브라이언은 프랑스어를 공부한다.

5 그 아이들은 손을 씻는다.

6 스미스 씨는 수학을 가르친다.

7 나의 엄마는 은행에서 일하신다.

8 그 쇼핑몰은 9시에 닫는다.

B 1 Judy 2 Our dogs 3 They 4 Toby 5 My dad 6 My sister

7 Her uncles 8 The monkey

→ 1 주디는 한국어를 한다. / 동사에 -s가 붙은 3인칭 단수 현재형이므로 3인칭 단수 주어 Judy(→ She)가 알맞다.

2 우리 개들은 장난감을 좋아한다. / 동사가 원래 모양 그대로이므로 복수 명사 주어 Our dogs(→ They)가 알맞다.

3 그들은 야구모자를 쓴다. / 동사가 원래 모양 그대로이므로 They가 알맞다.

4 토비는 그 컴퓨터를 고친다. / 동사에 -es가 붙은 3인칭 단수 현재형이므로 3인칭 단수 주어 Toby(→ He)가 알맞다.

5 나의 아빠는 영화를 보신다. / 동사에 -es가 붙은 3인칭 단수 현재형이므로 3인칭 단수 주어 My dad(→ He)가 알맞다.

6 나의 언니[여동생, 누나]는 거실을 청소한다. / 동사에 -s가 붙은 3인칭 단수 현재형이므로 3인칭 단수 주어 My sister(→ She)가 알맞다.

7 그녀의 삼촌들은 부산에 산다. / 동사가 원래 모양 그대로이므로 복수 명사 주어 Her uncles (→ They)가 알맞다.

8 그 원숭이는 나무에 올라간다. / 동사에 -s가 붙은 3인칭 단수 현재형이므로 3인칭 단수 주어 The monkey(→ It)가 알맞다.

C 1 make 2 flies 3 goes 4 has 5 clean 6 plays 7 finishes 8 brush 9 studies 10 watches

→ 1 주어가 복수 명사 Kate and I(→ We)이므로 동사 원래 모양 그대로 쓴다.

2 주어가 3인칭 단수 The boy(→ He)이므로 fly의 3인칭 단수형으로 바꿔 쓴다. '자음+y'로 끝나는 동사는 y를 i로 바꾸고 -es를 붙인다.

3 주어가 3인칭 단수 Lisa(→ She)이므로 go의 3인칭 단수형으로 바꿔 쓴다. -o로 끝나는 동사는 뒤에 -es를 붙인다.

4 주어가 3인칭 단수 She이므로 have의 3인칭 단수형인 has로 바꿔 쓴다.

5 주어가 복수 명사 The men(→ They)이므로 동사 원래 모양 그대로 쓴다.

6 주어가 3인칭 단수 Joe(→ He)이므로 play의 3인칭 단수형으로 바꿔 쓴다. '모음+y'로 끝나는 동사이므로 뒤에 -s만 붙인다.

7 주어가 3인칭 단수 He이므로 finish의 3인칭 단수형으로 바꿔 쓴다. -sh로 끝나는 동사는 뒤에 -es를 붙인다.

8 주어가 We이므로 동사 원래 모양 그대로 쓴다.

9 주어가 3인칭 단수 My friend(→ He 또는 She)이므로 study의 3인칭 단수형으로 바꿔 쓴다. '자음+y'로 끝나는 동사는 y를 i로 바꾸고 -es를 붙인다.

10 주어가 3인칭 단수 My dad(→ He)이므로 watch의 3인칭 단수형으로 바꿔 쓴다. -ch로 끝나는 동사는 뒤에 -es를 붙인다.

D 1 gets up 2 has 3 plays 4 fixes 5 go 6 closes 7 washes

→ 1 나의 누나[언니, 여동생]는 일찍 일어난다. / 주어가 3인칭 단수 My sister(→ She)이므로 get 뒤에 -s를 붙여야 한다.

2 스티브는 여자 형제가 두 명 있다. / 동사 have의 3인칭 단수형은 has이다.

3 나의 오빠[형, 남동생]는 테니스를 친다. / 동사 play는 '모음+y'로 끝나는 동사이므로 뒤에 -s만 붙인다.

4 줄리는 그녀의 자동차를 고친다. / -x로 끝나는 동사는 뒤에 -es를 붙인다.

5 우리는 8시 30분에 학교에 간다. / 주어가 We이므로 동사는 원래 모양 그대로 써야 한다.

6 그 박물관은 6시 정각에 닫는다. / 주어가 3인칭 단수 The museum(→ It)이므로 close 뒤에 -s를 붙여야 한다.

7 테디는 매일 머리를 감는다. / -sh로 끝나는 동사는 뒤에 -es를 붙인다.

Step 3 p.63

A 1 Ian goes to the beach.
2 He has three daughters.
3 The concert finishes at 9.

4 My cousin fixes computers.
5 They catch fish in the river.

➜ 1 주어가 3인칭 단수 Ian(→ He)이므로 동사 go 뒤에 -es를 붙인다.
2 주어가 3인칭 단수 He이므로 동사 have의 3인칭 단수형 has로 바꿔 쓴다.
3 주어가 3인칭 단수 The concert(→ It)이므로 동사 finish 뒤에 -es를 붙인다.
4 주어가 3인칭 단수 My cousin(→ He 또는 She)이므로 동사 fix 뒤에 -es를 붙인다.

B 1 The restaurant closes at 11.
2 Jim studies Korean.
3 Tim and I eat cheesecake.
4 My uncle teaches music.
5 My grandma buys flowers every day.

➜ 1 주어가 3인칭 단수 The restaurant(→ It)이므로 동사 close 뒤에 -s를 붙인다.
2 주어가 3인칭 단수 Jim(→ He)이므로 study의 3인칭 단수형으로 바꿔 쓴다. '자음+y'로 끝나는 동사는 y를 i로 바꾸고 -es를 붙인다.
3 주어가 복수 명사 Tim and I(→ We)이므로 동사 원래 모양 그대로 쓴다.
4 주어가 3인칭 단수 My uncle(→ He)이므로 teach의 3인칭 단수형으로 바꿔 쓴다. -ch로 끝나는 동사는 뒤에 -es를 붙인다.
5 주어가 3인칭 단수 My grandma(→ She)이므로 buy의 3인칭 단수형으로 바꿔 쓴다. '모음+y'로 끝나는 동사이므로 뒤에 -s만 붙인다.

UNIT 2 일반동사 현재형의 부정문

Step 2 p.65

A 1 do not 2 does not 3 do not
4 does not 5 does not 6 do not
7 do not 8 does not 9 do not

➜ 3인칭 단수 주어 뒤에는 does not을 쓰고, 그 외에는 모두 do not을 쓴다.

➜ 1 나는 우유를 마시지 않는다.
2 그녀는 영어를 하지 않는다.
3 너[너희들]는 일찍 일어나지 않는다.
4 프랭크는 테니스를 치지 않는다.
5 그는 바이올린 레슨을 받지 않는다.
6 우리는 지금 수업이 없다.
7 그 남자아이들은 파티에 가지 않는다.
8 나의 아빠는 네 이름을 기억하지 못하신다.
9 샘과 제니는 텐트를 가지고 있지 않다.

B 1 doesn't 2 don't 3 doesn't
4 don't 5 doesn't

➜ 1, 3, 5 3인칭 단수 주어 뒤에는 doesn't가 온다.
2, 4 복수 명사 주어 뒤에는 don't가 온다.

C 1 ①, doesn't 2 ①, don't
3 ②, doesn't 4 ②, don't
5 ②, doesn't

➜ don't와 doesn't는 일반동사 바로 앞에 온다.

➜ 1 제인은 교실을 청소하지 않는다. / 주어가 3인칭 단수 Jane(→ She)이므로 doesn't가 알맞다.
2 우리는 그 답을 모른다.
3 내 친구는 만화책을 읽지 않는다. / 주어가 3인칭 단수 My friend(→ He 또는 She)이므로 doesn't가 알맞다.
4 그 학생들은 컴퓨터 게임을 하지 않는다. / 주어가 복수 명사 The students(→ They)이므로 don't가 알맞다.
5 저 박물관은 월요일에는 열지 않는다. / 주어가 단수 명사 That museum(→ It)이므로 doesn't가 알맞다.

D 1 doesn't 2 does not[doesn't]
3 don't[do not] 4 does
5 brush 6 does
7 do not[don't] 8 don't[do not]
9 go

➜ 1 그 가게는 초콜릿을 팔지 않는다.
2 제니는 빵을 굽지 않는다. / 일반동사 bake의 부정문이 되어야 하므로 is를 does로 고쳐야 한다.

3 그들은 영화를 좋아하지 않는다.
4 나의 형[오빠, 남동생]은 거짓말을 하지 않는다.
5 에밀리는 이를 닦지 않는다. / don't와 doesn't 뒤에는 항상 동사원형이 와야 한다.
6 나의 할머니는 커피를 마시지 않으신다.
7 너는 새 배낭이 필요하지 않다.
8 그렉과 테드는 축구를 하지 않는다. / 주어가 복수 명사 Greg and Ted(→ They)이므로 don't 또는 do not으로 고쳐야 한다.
9 존스 씨는 7시에 직장에 가지 않는다.

Step 3 p.67

A **1** Dan doesn't wear glasses.
2 They don't like Chinese food.
3 My uncle doesn't have a car.
4 Josh and Tom don't eat breakfast.
5 Anna doesn't go shopping.
→ don't와 doesn't 뒤에는 항상 동사원형이 와야 한다.
→ 1 댄은 안경을 쓰지 않는다.
2 그들은 중국 음식을 좋아하지 않는다.
3 나의 삼촌은 차가 없다.
4 조쉬와 톰은 아침을 먹지 않는다.
5 안나는 쇼핑하러 가지 않는다.

B **1** He doesn't do the dishes.
2 We don't run in the library.
3 Erin doesn't go to the concert.
4 My brother doesn't study English.
5 My friends don't make a snowman.
→ 1, 3, 4 주어가 3인칭 단수이므로 '~하지 않다'의 부정문은 「doesn't+동사원형」으로 나타낸다.

UNIT 3 일반동사 현재형의 의문문

Step 2 p.69

A **1** Do **2** Does **3** Does **4** Do
5 Does **6** Do **7** Does
→ 3인칭 단수 주어 앞에는 Does가 오고, 그 외에는 모두 Do가 온다.
→ 1 그들은 TV를 보니?
2 주디는 야구모자를 쓰니?
3 그녀는 피자를 좋아하니?
4 너[너희들]는 그들을 아니?
5 피터는 빨래를 하니?
6 네 친구들은 야구를 하니?
7 그 가게는 10시 정각에 여니?

B **1** No, she doesn't. **2** No, I don't.
3 Yes, he does. **4** No, they don't.
5 Yes, they do.
→ 1 Q: 그녀는 고양이가 있니? A: 아니, 그렇지 않아.
2 Q: 너는 노트북을 사용하니? A: 아니, 그렇지 않아.
3 Q: 데이비드 씨는 트럭을 운전하니? A: 응, 그래. / 주어 Mr. David는 남자 한 명을 가리키는 대명사 he로 바꿔서 대답한다.
4 Q: 그 선생님들은 중국어를 하시니? A: 아니, 그렇지 않아. / 주어 the teachers는 복수 명사이므로 대명사 they로 바꿔서 대답한다.
5 Q: 펭귄들은 물고기를 먹니? A: 응, 그래. / 주어 penguins는 복수 명사이므로 대명사 they로 바꿔서 대답한다.

C **1** Does, need **2** Does, do
3 Do, live **4** Do, go
5 Does, take
→ 일반동사의 의문문에서 주어 뒤에는 항상 동사원형을 쓴다.

D **1** Does **2** swim **3** Does **4** Do
5 Does **6** Do **7** finish **8** Do
→ 1 그는 스포츠를 좋아하니?
2 그녀는 바다에서 수영하니?
3 케이트는 여동생[언니]이 있니?
4 그들은 아이스크림을 원하니?
5 네 개는 닭고기를 좋아하니?
6 그 아이들은 학교에 가니? / 주어 the children 뒤에 일반동사 go가 있으므로 일반동사의 의문

문을 만드는 Do로 고쳐야 한다.

7 잭은 숙제를 끝내니?

8 너[너희들]는 그녀의 전화번호를 아니?

Step 3 p.71

A **1** Do your teachers help you?

2 Does he work at a hospital?

3 Do cows eat grass?

4 Does her grandma need a cellphone?

5 Do those singers have a concert?

➜ 1 너의 선생님들은 너를 도와주시니?

2 그는 병원에서 일하니?

3 젖소들은 풀을 먹니?

4 그녀의 할머니는 휴대전화가 필요하시니?

5 저 가수들은 콘서트가 있니?

B **1** Does Brian grow plants?

2 Do you know her address?

3 Does your dad cook dinner?

4 Does the man read magazines?

5 Do your cats sleep on the bed?

CHAPTER EXERCISE

CHAPTER 4 p.72

01 ④	**02** ④	**03** ②	**04** have
05 sings	**06** goes	**07** ②	**08** ④
09 ④	**10** doesn't		**11** don't
12 Does	**13** Do	**14** ②	**15** ③
16 ④	**17** ②	**18** ①	

19 doesn't[does not]

20 finish

01 ④ enjoy는 '모음+y'로 끝나는 동사이므로 뒤에 -s 만 붙인다.

02 ④ watch는 -ch로 끝나는 동사이므로 뒤에 -es를 붙인다.

03 ② play는 '모음+y'로 끝나는 동사이므로 뒤에 -s 만 붙인다. 나머지는 모두 '자음+y'로 끝나는 동사들이므로 y를 i로 고치고 -es를 붙인다.
① → studies ③ → carries ④ → tries
⑤ → worries

04 우리는 7시에 저녁 식사를 한다.

05 그 여자아이는 노래를 잘 부른다. / 주어가 3인칭 단수 The girl(→ She)이므로 sing 뒤에 -s를 붙인다.

06 나의 할아버지는 쇼핑하러 가신다. / 주어가 3인칭 단수 My grandpa(→ He)이므로 go 뒤에 -es를 붙인다.

07 헨리는 피자를 ______. ① 먹다 ② 좋아하다 ③ 먹다, 가지고 있다 ④ 원하다 ⑤ 만들다 / 주어가 3인칭 단수 Henry(→ He)이므로 3인칭 단수형 동사인 ② likes만 빈칸에 들어갈 수 있다.

08 ______ 축구를 한다. ① 그는 ② 내 남동생[형, 오빠]은 ③ 그녀는 ④ 너와 애비는 ⑤ 폴은 / 빈칸 뒤에 동사의 원래 모양이 오므로 빈칸에 3인칭 단수 주어는 들어갈 수 없다.

09 ① 테드는 걸어서 학교에 간다. ② 샐리는 그녀의 언니[여동생]를 사랑한다. ③ 그들은 시카고에 산다. ④ 그녀는 문을 민다. ⑤ 제니는 말을 탄다. / ④ push는 -sh로 끝나는 동사이므로 3인칭 단수형은 뒤에 -es를 붙여야 한다.

10 그는 영어를 하지 않는다.

11 그 여자아이들은 테니스를 치지 않는다.

12 빌리는 네 이름을 아니?

13 너는 휴대전화를 가지고 있니?

14 Q: 그녀의 아들은 요리를 잘하나요? A: <u>네, 그래요.</u> 그는 훌륭한 요리사예요. / 빈칸 뒤에 '훌륭한 요리사'라고 했으므로 긍정의 대답이 알맞다. 일반동사의 의문문은 Does로 묻고 does로 답한다.

15 ______ 텐트를 가지고 있지 않다. ① 그녀의 친구들은 ② 그 남자아이들은 ③ 그의 삼촌은 ④ 내 사촌들은 ⑤ 벤과 제이드는 / 빈칸 뒤에 don't가 오므로 3인칭 단수 주어인 ③ His uncle(→ He)은 들어갈 수 없다.

16 ______ 우유를 좋아하니? ① 안나는 ② 그는

③ 네 고양이는 ④ 당신의 아들들은 ⑤ 그녀의 언니[여동생]는 / Does로 시작하는 의문문이므로 빈칸에는 3인칭 단수 주어만 가능하다. ④ your sons(→ they)는 복수 명사이므로 들어갈 수 없다.

17 ① 그녀는 축구를 하니? ② 그는 선생님인가요? ③ 그는 감자를 좋아하니? ④ 네 아빠는 운동하시니? ⑤ 그녀는 아침을 먹니? / ②는 주어 뒤에 명사가 오므로 빈칸에는 be동사 Is가 알맞다. 나머지는 모두 일반동사의 의문문이고, 주어가 3인칭 단수이므로 빈칸에 Does가 들어간다.

18 ① 나는 그녀를 모른다. ② 그녀는 주스를 좋아하지 않는다. ③ 그는 개가 없다. ④ 리사는 영화를 보지 않는다. ⑤ 그녀의 아빠는 자전거를 타시지 않는다. / not 뒤에 일반동사가 있으므로 빈칸에는 부정문을 만드는 do 또는 does가 들어간다. ① 주어 I 뒤에는 do가 들어간다. 나머지는 모두 3인칭 단수 주어이므로 does가 들어간다.

19 일반동사 pass의 부정문이 되어야 하므로 3인칭 단수 주어 The player에 맞게 doesn't 또는 does not으로 고쳐야 한다.

20 주어가 복수 명사 Eric and Jack(→ They)이므로 동사의 원래 모양이 바뀌지 않는다.

REVIEW

CHAPTER 3-4 p.74

A 1 Does 2 Is 3 stops 4 need 5 aren't 6 are

B 1 has, are 2 is, plays 3 are, likes 4 walk, don't take 5 Does, have, does

A 1 그는 중국어를 배우니?
2 너의 엄마는 화가 나셨니?
3 저 기차는 여기서 멈춘다.
4 그레이스는 가위가 필요하지 않다.
5 내 친구들은 교실에 있지 않다.
6 탁자 위에 세 권의 책들이 있다.

B 1 주어가 3인칭 단수 She이므로, '가지고 있다'라는 의미의 동사 have의 3인칭 단수형 has로 쓴다. 두 번째 빈칸 뒤에 주어를 설명하는 말 cute가 있으므로 빈칸에는 be동사 are가 알맞다.

2 첫 번째 문장의 주어가 3인칭 단수 Joey(→ She)이고, 빈칸 뒤에 주어를 설명하는 말 a soccer player가 있으므로 빈칸에는 be동사 is가 알맞다.
두 번째 빈칸에는 동사 play의 3인칭 단수형으로 바꿔 써야 한다.

4 주어가 복수 명사 My brothers(→ They)이므로 동사의 원래 모양 walk가 알맞다. 두 번째 문장은 '~하지 않다'라는 의미의 부정문 「don't+동사원형」으로 나타낸다.

형용사

UNIT 1 형용사의 종류와 쓰임

Step 2 p.77

A 1 hot 2 sunny 3 cute 4 new
5 famous 6 delicious 7 white 8 long

→ 1 나는 뜨거운 우유를 원한다. / 명사 milk를 꾸며준다.
2 오늘은 화창하다. / 날씨를 나타내는 형용사이다. 이 문장에서 It은 뜻이 없는 주어로, 날씨, 날짜, 시각 등을 나타낼 때 사용한다.
3 그녀의 개들은 귀엽다. / 주어 Her dogs를 설명해준다.
4 그녀는 새 자동차를 원한다. / 명사 car를 꾸며준다.
5 그들은 유명한 배우들이다. / 명사 actors를 꾸며준다.
6 그 쿠키들은 맛있다. / 주어 The cookies를 설명해준다.
7 그는 그 흰 신발을 원한다. / 명사 shoes를 꾸며준다.
8 스텔라는 긴 머리를 가지고 있다. / 명사 hair를 꾸며준다.

B 1 My brother 2 ring 3 My shoes
4 food 5 Your room 6 man
7 questions 8 The mountain

C 1 ③ 2 ② 3 ③ 4 ③ 5 ③ 6 ③

→ 1 그의 엄마는 키가 크다. / 주어 His mom을 설명하는 말이므로 be동사 is 뒤가 알맞다.
2 저 낡은 자동차는 내 것이다. / 명사 car를 꾸며주는 말이므로 지시형용사 That과 car 사이에 와야 한다.
3 그 영화는 지루하다. / 주어 The movie를 설명하는 말이므로 be동사 is 뒤가 알맞다.
4 그들은 내 좋은 친구들이다. / 명사 friends를 꾸며주는 말이므로 소유격 대명사 my와 friends 사이에 와야 한다.
5 그녀는 친절한 간호사이다. / 명사 nurse를 꾸며주는 말이므로 a와 nurse 사이가 알맞다.
6 케이트는 그의 노란색 우산을 빌린다. / 명사 umbrella를 꾸며주는 말이므로 소유격 대명사 his와 umbrella 사이에 와야 한다.

D 1 heavy boxes 2 dirty table
3 are old 4 red gloves
5 is sharp 6 sweet oranges

→ 1 저 상자들은 무겁다. → 저것들은 무거운 상자들이다.
2 저 식탁은 지저분하다. → 저것은 지저분한 식탁이다.
3 저것들은 오래된 건물들이다. → 저 건물들은 오래됐다.
4 그녀의 장갑은 빨간색이다. → 그녀는 빨간 장갑을 가지고 있다.
5 이것은 날카로운 연필이다. → 이 연필은 날카롭다.
6 저 오렌지들은 달다. → 저것들은 달콤한 오렌지들이다.

Step 3 p.79

A 1 These are fresh vegetables.
2 We need a large table.

3 I like this red sweater.
4 Dolphins are smart animals.
5 That is my lovely cat.
→ 2 「a+형용사+명사」의 순서로 쓴다.
3 「지시형용사+형용사+명사」의 순서로 쓴다.
5 「소유격+형용사+명사」의 순서로 쓴다.

B 1 is safe
2 This old building
3 an interesting movie
4 her new school
5 are sour

UNIT 2 many/much, some/any

Step 2 p.81

A 1 much 2 many 3 much 4 many
5 much 6 much 7 many 8 many
→ 복수 명사 앞에는 many가 오고, 셀 수 없는 명사 앞에는 much가 와야 한다.

B 1 some 2 some 3 any 4 some
5 any 6 any 7 some 8 any
→ 1, 2, 7 some은 긍정문에 쓰여 '몇몇의, 약간의, 조금'이라는 의미를 나타낸다.
3, 5, 8 any는 부정문에 쓰여 '조금도, 하나도'의 의미를 나타낸다.
4 some은 '권유나 허락'을 나타내는 의문문에서 '약간의, 조금'이라는 의미를 나타낸다.
6 any는 의문문에 쓰여 '약간의, 조금'이라는 의미를 나타낸다.

C 1 many 2 some 3 much 4 many
5 any 6 much 7 some 8 any
9 many 10 any 11 some

Step 3 p.83

A 1 She reads many books.
2 There isn't any orange juice.
3 I don't drink much milk.
4 Would you like some doughnuts?
5 The singer has many fans.

B 1 There aren't any stars
2 Do you need much money?
3 They want some eggs.
4 My sister has many bags.
5 Is there any interesting news?
→ 1 부정문에서 '조금도, 하나도'의 의미를 나타내는 any를 추가하여 쓴다. star(별)는 셀 수 있는 명사이므로 any 다음에 복수형으로 바꿔 쓴다.
2 '많은'을 뜻하고 셀 수 없는 명사 money 앞에 쓸 수 있는 much를 추가하여 쓴다.
3 긍정문에서 '몇몇의, 약간의, 조금'이라는 뜻으로 쓸 수 있는 some을 추가하여 쓴다. egg(달걀)는 셀 수 있는 명사이므로 some 다음에 복수형으로 바꿔 쓴다.
4 '많은'을 뜻하고 셀 수 있는 명사 앞에 쓸 수 있는 many를 추가하여 쓴다. bag(가방)은 many 다음에 복수형으로 바꿔 쓴다.
5 의문문에서 '약간의, 조금'이라는 뜻으로 쓸 수 있는 any를 추가하여 쓴다.

UNIT 3 all/every

Step 2 p.85

A 1 All 2 every 3 All 4 Every
5 all 6 Every
→ 복수 명사 앞에는 all이 오고, 단수 명사 앞에는 every가 와야 한다.

B 1 house 2 flowers 3 baby
4 friends 5 subjects 6 student

C 1 Every 2 all[All] 3 Every[every]
→ 1 · 모든 강아지는 귀엽다. · 모든 새는 날개가 있다. / 빈칸 뒤에 모두 단수 명사가 오므로 Every가 알맞다.

2 · 토미는 모든 채소들을 좋아한다. · 모든 아이들이 이 게임을 좋아한다. / 빈칸 뒤에 모두 복수 명사가 오므로 all[All]이 알맞다.

3 · 모든 빵집이 케이크를 판다. · 그녀는 매일 밤 뉴스를 본다. / 첫 번째 빈칸 뒤에 단수 명사가 오므로 Every가 알맞다. 두 번째 문장에서 night와 함께 '매 ~, ~마다'라는 의미로 쓰일 수 있는 every가 알맞다.

D 1 all 2 friends 3 Every 4 morning 5 roses 6 problems 7 All

Step 3 p.87

A 1 All my friends are nice.
2 Every person likes the song.
3 All ostriches run fast.
4 Every firefighter is brave.
5 Close all the windows.

B 1 Every turtle is slow.
2 She remembers all her students.
3 I read every magazine.
4 All his jackets are blue.
5 We eat pizza every week.

→ 2, 4 「all+소유격+복수 명사」의 형태로 쓴다.

CHAPTER EXERCISE

CHAPTER 5 p.88

01 ④ 02 ③ 03 ④ 04 ① 05 ③
06 some 07 much 08 many
09 any 10 some 11 All 12 dog
13 ② 14 ④ 15 ⑤ 16 ③ 17 ④
18 many tourists 19 any vegetables
20 my lovely cat

01 ① 더러운 ② 파란색의; 파란색 ③ 예쁜 ④ 바람 ⑤ 작은 / ④ wind는 명사이다.

02 ① 게으른 ② 젊은, 어린 ③ 요리사; 요리하다 ④ 달콤한 ⑤ 시원한 / ③ cook은 명사 또는 동사로 쓰인다.

03 '많은'을 뜻하고 복수 명사 kids 앞에 올 수 있는 것은 many이다.

04 의문문에 쓰여 '약간의, 조금'을 뜻하고 복수 명사 coins 앞에 올 수 있는 것은 any이다.

05 ① 나는 깨끗한 수건이 필요하다. ② 그는 똑똑한 사람이다. ③ 저 상자들은 무겁다. ④ 그들은 유명한 배우들이다. ⑤ 나는 눈 오는 날을 좋아한다. / ③ heavy는 주어 Those boxes를 설명해주는 역할을 하며, 나머지는 모두 뒤에 오는 명사를 꾸며 준다.

06 긍정문에서 '몇몇의, 약간의, 조금'의 뜻으로 쓸 수 있는 것은 some이다.

07 '많은'을 뜻하고 셀 수 없는 명사 water 앞에 올 수 있는 것은 much이다.

08 '많은'을 뜻하고 복수 명사 birds 앞에 올 수 있는 것은 many이다.

09 부정문에서 '조금도, 하나도'의 뜻으로 쓰이는 any가 알맞다.

11 모든 아이들이 장난감을 좋아한다. / 「all+복수 명사」

12 모든 개는 꼬리가 있다. / 「every+단수 명사」

13 ① 그들은 너무 많은 물을 사용한다. ② 많은 쿠키들이 있다. ③ 나는 많은 치즈를 먹지 않는다. ④ 우리는 많은 돈이 없다. ⑤ 나는 많은 숙제가 없다. / ② 빈칸 뒤에 복수 명사가 오므로 many가 알맞다. 나머지는 모두 셀 수 없는 명사가 뒤에 오므로 much가 들어간다.

14 ① 버터가 하나도 없다. ② 나는 종이가 하나도 없다. ③ 그녀는 계획들이 좀 있니? ④ 우리는 도움이 조금 필요하다. ⑤ 펜들이 하나도 없다. / ④ 긍정문에서 '약간의, 조금'을 의미하는 some이 알맞다.

15 체리들 좀 먹을래? ① 빵 ② 우유 ③ 커피 ④ 쿠키들 ⑤ 사과 / some 뒤에는 복수 명사 또는 셀 수 없는 명사가 오므로 단수 명사인 apple로 바꿔 쓸 수 없다.

16 ① 나는 모든 동물을 사랑한다. ② 그는 모든 박물관에 방문한다. ③ 내 모든 신발은 검은색이다. ④ 모든 거미는 다리 여덟 개를 가지고 있다. ⑤ 모든 선수가 글러브를 낀다. / ③ 빈칸 뒤에 복수 명사가 오므로 All이 알맞다. 나머지는 모두 단수 명사가 뒤에 오므로 every[Every]가 알맞다.

17 · 탄산음료가 하나도 없다. · 너는 질문이 좀 있니? / 셀 수 없는 명사(soda)와 복수 명사(questions) 앞에 모두 쓰일 수 있는 some과 any 중에서, 부정문과 의문문에 모두 쓸 수 있는 any가 알맞다.

REVIEW

CHAPTER 4-5 p.90

A 1 has, some 2 Do, some 3 buys, strawberries 4 reads, many 5 an expensive camera 6 watch, all

B 1 don't eat any 2 has many 3 doesn't have much 4 Does, need any 5 brushes, every

A 1 내 남동생[형, 오빠]은 만화책들을 좀 가지고 있다. / 주어가 3인칭 단수 My brother(→ He)이므로 has가 알맞다. 복수 명사 앞에 올 수 있는 것은 some이다.

2 아이스크림 좀 먹을래?

3 케이트는 약간의 딸기들을 산다. / 주어가 3인칭 단수 Kate(→ She)이므로 buys가 알맞다. some 뒤에 셀 수 있는 명사가 올 때는 복수형이 와야 한다.

4 나의 할머니는 많은 책들을 읽으신다.

5 이것은 비싼 카메라이다. / 「a/an+형용사+명사」의 순서가 알맞다. 형용사 expensive가 모음 발음(e)으로 시작하므로 an이 쓰인다.

6 우리는 그의 모든 경기들을 본다. / 주어가 We이므로 동사의 모양은 바뀌지 않는다. 복수 명사 앞에 올 수 있는 것은 all이다.

B 1 '~하지 않다'를 나타내는 일반동사의 부정문 「don't/doesn't+동사원형」을 쓰고, 명사 meat 앞에는 부정문에서 '조금도, 하나도'를 뜻하는 any를 쓴다. 주어가 I이므로 don't가 알맞다.

4 '~하니?'를 나타내는 일반동사의 의문문 「Do/Does+주어+동사원형 ~?」을 쓰고, 명사 help 앞에는 의문문에서 '약간의, 조금'을 뜻하는 any를 쓴다. 주어가 she이므로 Does로 시작한다.

5 주어가 3인칭 단수 Judy(→ She)이므로 동사 brush 뒤에 -es를 붙여 쓴다. morning 앞에는 '매 ~, ~마다'를 의미하는 every가 알맞다.

부사

UNIT 1 부사의 쓰임과 형태

Step 2 p.93

A 1 high 2 busily 3 very 4 early
5 happily 6 really 7 loudly

→ 1 그 새는 높이 난다.
2 그들은 바쁘게 일한다.
3 나는 매우 배고프다.
4 릴리는 일찍 일어난다.
5 그 여자아이는 행복하게 미소 짓는다.
6 그 수프는 정말 뜨겁다.
7 그는 큰 소리로 드럼을 연주한다.

B 1 slowly 2 hard 3 luckily
4 simply 5 sadly 6 easily
7 quickly 8 beautifully 9 happily
10 well 11 kindly 12 carefully
13 early 14 fast 15 really
16 suddenly 17 safely 18 honestly
19 late 20 seriously

→ 2, 13, 14, 19 형용사와 부사의 형태가 같다.
3, 6, 9 '자음+y'로 끝나는 형용사는 y를 i로 바꾸고 -ly를 붙인다.
4 -le로 끝나는 형용사는 e를 빼고 -y를 붙인다.

C 1 fast 2 hot 3 late
4 beautifully 5 well 6 quietly
7 early 8 safe

→ 1 에반은 매우 빠르게 걷는다. / 동사 walks를 꾸며주는 부사 자리. fast는 형용사와 부사의 형태가 같다.
2 그 커피는 아주 뜨겁다. / 주어 The coffee의 상태를 설명해주는 형용사 자리.
3 그는 늦게 잠자리에 든다. / 동사 goes를 꾸며주는 부사 자리. late는 형용사와 부사의 형태가 같다.
4 티나는 아름답게 스케이트를 탄다. / 동사 skates를 꾸며주는 부사 자리.
5 할머니는 수영을 잘하신다. / 동사 swims를 꾸며주는 부사 자리.
6 우리는 도서관에서 조용히 공부한다. / 동사 study를 꾸며주는 부사 자리.
7 그들은 일찍 학교에 간다. / 동사 go를 꾸며주는 부사 자리. early는 형용사와 부사의 형태가 같다.
8 우리는 안전한 마을에 산다. / 뒤에 오는 명사 town을 꾸며주는 형용사 자리.

D 1 really 2 carefully 3 hard
4 easily 5 gently

Step 3 p.95

A 1 The sun shines brightly.
2 The bookstore closes early.
3 She sings the song perfectly.
4 These robots are really strong.
5 He eats noodles very quickly.

B 1 My teacher speaks quietly.
2 Robert cooks very well.
3 My parents work really hard.

4 Amy eats dinner late.
5 My friend answers my questions kindly.

→ 2 형용사 good은 동사 cooks를 꾸며주는 부사 well로 바꿔 쓴다. very는 다른 부사 well을 꾸며주므로 well 앞에 쓴다.
3 hard는 형용사와 부사의 형태가 같으므로 모양이 바뀌지 않는다. 형용사 real은 '정말'이라는 뜻의 부사(really)가 되도록 바꿔 쓴다.

UNIT 2 빈도부사

Step 2 p.97

A 1 often 2 never 3 sometimes
4 usually 5 always

B 1 always 2 often 3 sometimes
4 usually 5 never

C 1 never has 2 often snows
3 is never 4 are always
5 usually arrive 6 will sometimes
7 always goes 8 are usually
9 can often

→ 1 잭은 절대 아침을 먹지 않는다.
2 겨울에는 자주 눈이 온다.
3 그녀는 절대 학교에 늦지 않는다.
4 그 남자아이들은 항상 예의 바르다.
5 나는 보통 학교에 일찍 도착한다.
6 그는 가끔 소설을 읽을 것이다.
7 주디는 항상 도서관에 간다.
8 그들은 대개 월요일에 바쁘다.
9 여러분은 종종 공원에서 오리들을 볼 수 있습니다.

→ 빈도부사는 일반동사 앞, be동사나 조동사 뒤에 쓰인다.

D 1 ① 2 ① 3 ② 4 ① 5 ② 6 ③

→ 1 우리는 항상 이를 닦는다.
2 그녀는 가끔 세차한다.
3 그들은 종종 도서관에 있다.
4 우리는 보통 함께 점심을 먹는다.
5 나는 절대 네 생일을 잊지 않을 거야.
6 그의 방은 항상 깨끗하다.

Step 3 p.99

A 1 The dog sometimes barks.
2 We often play soccer.
3 They are always honest.
4 Cats can usually see at night.
5 He never goes to the dentist.

B 1 James often cooks pasta.
2 She always comes home early.
3 I never watch scary movies.
4 They sometimes drink tea
5 We are usually free

→ 1 '자주'를 뜻하는 빈도부사 often을 일반동사 cooks 앞에 쓴다.
2 '항상'을 뜻하는 빈도부사 always를 일반동사 comes 앞에 쓴다.
3 '절대 ~않다'를 뜻하는 빈도부사 never를 일반동사 watch 앞에 쓴다.
4 '가끔'을 뜻하는 빈도부사 sometimes를 일반동사 drink 앞에 쓴다.
5 '보통'을 뜻하는 빈도부사 usually를 be동사 are 뒤에 쓴다.

CHAPTER EXERCISE

CHAPTER 6 p.100

01 ③ 02 ④ 03 ④ 04 ② 05 ④
06 ② 07 ⑤ 08 ① 09 ②
10 quietly 11 late 12 fast 13 easily
14 never eats 15 hard
16 can often see 17 always
18 often 19 sometimes 20 never

01 ③ high는 형용사와 부사의 형태가 같다. highly는 '매우, 대단히'라는 전혀 다른 의미로 쓰이는 부사이다.

02 ④ -le로 끝나는 형용사의 부사는 e를 빼고 -y를 붙여 만든다.

03 ④ quiet는 뒤에 -ly를 붙여 부사를 만든다. 나머지는 모두 '자음+y'로 끝나는 형용사이므로 y를 i로 바꾸고 -ly를 붙인다.

04 ② fast는 형용사와 부사의 형태가 같다. 나머지는 모두 뒤에 -ly를 붙여 부사를 만든다.

05 그는 피아노를 _______ 친다. ① 좋은 ② 대단한, 멋진 ③ 멋진 ④ 잘 ⑤ 훌륭한 / 동사 plays를 꾸며주는 자리이므로 부사인 ④ well이 알맞다. 나머지는 모두 형용사이다.

06 그 배우는 _______ 잘생겼다. ① 조용한 ② 정말 ③ 유명한 ④ 아름다운 ⑤ 친절한 / 형용사 handsome을 꾸며주는 자리이므로 부사인 ② really가 알맞다. 나머지는 모두 형용사이다.

07 그 아이들은 _______ 길을 건넌다. ① 안전한 ② 쉬운 ③ 바쁜 ④ 위험한 ⑤ 주의해서 / 동사 cross를 꾸며주는 자리이므로 부사인 ⑤ carefully가 알맞다. 나머지는 모두 형용사이다.

08 그들은 종종 그 공원에 간다. / often은 일반동사 go 앞에 들어가야 한다.

09 나는 언제나 네 친구일 거야. / always는 조동사 will 뒤에 들어가야 한다.

10 동사 move를 꾸며주는 부사 자리이므로 quiet를 부사 형태로 바꿔 쓴다.

11 be동사 뒤에서 주어 Ben을 설명해주는 형용사 자리이다. late는 형용사와 부사의 형태가 같으므로 그대로 쓴다.

12 동사 runs를 꾸며주는 부사 자리이다. fast는 형용사와 부사의 형태가 같으므로 그대로 쓴다.

13 동사 solves를 꾸며주는 부사 자리이므로 easy를 부사 형태로 바꿔 쓴다.

14 아빠는 절대 고기를 드시지 않는다. / 빈도부사 never는 일반동사 eats 앞에 와야 한다.

15 그 학생들은 매우 열심히 공부한다. / '열심히'라는 뜻의 부사 hard로 고쳐 써야 한다. hardly는 '거의 ~ 않다'라는 전혀 다른 의미로 쓰이는 부사이다.

16 여러분은 종종 여기서 별들을 볼 수 있어요. / 빈도부사 often은 조동사 can 뒤에 와야 한다.

[17~20] 주어진 빈도부사를 시간표에 표시된 횟수에 따라 빈칸에 넣는다.

17 낸시는 항상 그림을 그린다. / 5일 중 5번 그림을 그리므로 빈도부사 always(항상)가 알맞다.

18 낸시는 종종 축구를 한다. / 5일 중 3번 축구를 하므로 빈도부사 often(종종, 자주)이 알맞다.

19 낸시는 가끔 책을 읽는다. / 5일 중 2번 책을 읽으므로 빈도부사 sometimes(가끔, 때때로)가 알맞다.

20 낸시는 절대 피아노를 치지 않는다. / 5일 중 1번도 하지 않으므로 빈도부사 never(절대 ~않다)가 알맞다.

REVIEW

CHAPTER 5-6 p.102

A 1 much 2 are often 3 dangerous 4 any 5 usually do 6 never

B 1 sometimes, late 2 Many, often 3 always, all 4 usually, nice 5 often, late

A 1 주스를 너무 많이 마시지 마라. / 셀 수 없는 명사 juice를 꾸며주므로 much가 알맞다.

2 나의 부모님은 자주 바쁘시다. / 빈도부사는 be동사 뒤에 온다.

3 이 도로는 위험하다. / 주어 This road를 설명해주는 형용사 자리이다.

4 농장에 양들이 하나도 없다. / 부정문이므로 '조금도, 하나도'를 의미하는 any가 알맞다. 여기서 sheep은 복수 명사로 쓰였다.

5 나는 보통 방과 후에 숙제를 한다. / 빈도부사는 일반동사 앞에 온다.

6 존은 절대 오이를 먹지 않는다. 그는 그것들을

좋아하지 않는다. / 두 번째 문장에 them (=cucumbers)을 좋아하지 않는다고 했으므로 '절대 ~않다'를 의미하는 never가 알맞다.

B 1 '늦게'를 뜻하는 late는 형용사와 부사의 형태가 같으므로 그대로 쓴다. 동사 comes를 꾸며주는 부사이다.

2 '많은'을 뜻하고 복수 명사 앞에 쓰이는 Many가 알맞다.

3 '모든'을 뜻하고 복수 명사 앞에 쓰이는 all이 알맞다. 「all+the+복수 명사」의 순서로 쓰인다.

4 '멋진'을 뜻하는 형용사 nice가 알맞다. nice는 뒤에 오는 명사 sunglasses를 꾸며준다. 「지시형용사+형용사+명사」의 순서로 쓰인다.

5 '늦은, 지각한'이라는 뜻의 형용사 late가 알맞다. late는 주어 My sister의 상태를 설명해준다.

CHAPTER 7 전치사

UNIT 1 장소/위치/방향의 전치사

Step 2 p.105

A 1 on 2 in 3 behind 4 next to
5 in 6 at 7 in front of 8 under
9 across 10 between

B 1 behind 2 at 3 in
4 across 5 on 6 next to

C 1 on 2 next to 3 under
4 in front of 5 behind 6 in
7 between

Step 3 p.107

A 1 The slippers are under the table.
2 There is a clock on the wall.
3 The plane is at the airport.
4 Her car is behind the building.
5 Kevin lives next to the lake.

B 1 His house is on the third floor.
2 My grandma lives in Daegu.
3 There are trees in front of the house.
4 There is a bank across the street.
5 My house is between the park and the station.

→ 1 접촉해 있는 '~ 위에'를 의미하는 전치사 on을 추가해서 쓴다.

2 도시 '안에' 사는 것이므로 '~ 안에'를 뜻하는 전치사 in을 추가해서 쓴다.

3 '~ 앞에'를 의미하는 전치사 in front of를 추가해서 쓴다.

4 '~ 건너편에'를 의미하는 전치사 across를 추가해서 쓴다.

5 'A와 B 사이에'를 의미하는 전치사 between A and B를 이용하여 문장을 완성한다.

UNIT 2 시간과 그 밖의 전치사

Step 2 p.109

A 1 in 2 at 3 in 4 at 5 on 6 on

B 1 for 2 after 3 for 4 with 5 by

C 1 to everyone 2 for you
3 in winter 4 with toys
5 about the singer

→ 1 '~에게'를 의미하는 전치사 to를 everyone 앞에 쓴다.
2 '~를 위해'를 의미하는 전치사 for를 you 앞에 쓴다.
3 '계절'을 나타내는 명사 앞에는 전치사 in을 쓴다.
4 '~을 가지고'를 의미하는 전치사 with를 toys 앞에 쓴다.
5 '~에 대해'를 의미하는 전치사 about을 the singer 앞에 쓴다.

D 1 at, in 2 to, after 3 on 4 for, before
5 at

→ 1 나는 아침 7시 30분에 일어난다. / '시각' 앞에는 전치사 at을 쓰고, '아침, 오후, 저녁'을 나타내는 말 앞에는 전치사 in을 쓴다.
2 나는 아침 식사 후에 학교에 간다. / school 앞에는 '(장소) ~로, ~까지'를 의미하는 전치사 to가 알맞다. 오전 8시에 아침을 먹고 8시 30분에 학교에 가므로 '~ 후에'를 의미하는 전치사 after를 breakfast 앞에 쓴다.
3 나는 금요일마다 피아노를 친다. / '요일' 앞에는 전치사 on을 쓴다.
4 나는 저녁 식사 전에 30분 동안 책을 읽는다. / 오후 5시 30분부터 저녁을 먹는 오후 6시까지 30분 동안 책을 읽으므로 '~ 동안'을 의미하는 전치사 for를 쓴다. dinner 앞에는 '~ 전에'를 의미하는 전치사 before가 알맞다.
5 나는 9시에 잠자리에 든다.

Step 3 p.111

A 1 They go skating in winter.
2 I exercise before breakfast.
3 This movie is about music.
4 We go to the museum by bus.
5 He lives with his family.

B 1 I finish my homework at 5 p.m.
2 Monica goes to the market
3 She takes a walk after dinner.
4 I watch a movie on my birthday.
5 We bake cookies for our teacher.

→ 1 '시각'을 나타내는 말 5 p.m. 앞에는 전치사 at을 쓴다.
2 '(장소) ~로, ~까지'를 의미하는 전치사 to를 the market 앞에 쓴다.
3 '~ 후에'를 의미하는 전치사 after를 dinner 앞에 쓴다.
4 '특정한 날'을 나타내는 말 my birthday 앞에는 전치사 on을 쓴다.
5 '~를 위해'를 의미하는 전치사 for를 our teacher 앞에 쓴다.

CHAPTER EXERCISE

CHAPTER 7 p.112

01 ③ 02 ② 03 on 04 in front of
05 about 06 ④ 07 ④ 08 ①, ⑤
09 ④ 10 ④ 11 for 12 next to
13 before 14 across 15 in front of
16 between 17 ② 18 ③ 19 ④
20 ④

01 우리는 정오에 점심을 먹는다. / ③ '하루의 때'를 나타내는 말 noon 앞에는 전치사 at이 알맞다.
02 토니는 한국에서 영어를 가르친다. / ② 나라 '안'에 사는 것이므로 나라 이름 앞에는 전치사 in이

알맞다.

03 '날짜' 앞에는 전치사 on이 알맞다.

04 '~ 앞에'를 의미하는 전치사는 in front of이다.

05 '~에 대해'를 의미하는 전치사는 about이다.

06 · 그 벤치 위에 앉지 마라. · 그는 토요일마다 수영한다. / 두 번째 문장을 먼저 보면 '요일' 앞에는 전치사 on이 들어가는데, 첫 번째 문장에도 on을 넣으면 '벤치 위에'라는 의미가 되므로 가장 자연스럽다.

07 · 그녀는 그 장난감들을 상자 안에 넣는다. · 나는 아침에 운동한다. / 두 번째 문장을 먼저 보면 '아침, 오후, 저녁'을 나타내는 말 앞에는 전치사 in을 쓰는데, 첫 번째 문장에도 in을 넣으면 '상자 안에'라는 의미가 되므로 가장 자연스럽다.

08 나는 저녁 식사 전에[후에] 숙제를 한다.

09 나는 15분 동안 샤워를 한다. / 전치사 for는 시간을 나타내는 표현 15 minutes 앞에 쓰여 '(시간) ~ 동안'이라는 의미로 쓰인다.

10 케이트는 지하철을 타고 직장에 간다. / 전치사 by는 교통수단을 나타내는 말 앞에 쓰여 '~로, ~를 타고'라는 의미로 쓰인다. 문장 마지막에 subway가 있으므로 그 앞에 by가 들어가야 한다.

17 ① 너[너희들]는 집에 있니? ② 그것은 1층에 있다. ③ 나는 월요일마다 피곤하다. ④ 그 가게는 9시 정각에 문을 닫는다. ⑤ 우리는 여름에 해변에 간다. / ② 접촉해 있는 '~ 위에'를 의미하는 전치사 on으로 고쳐야 알맞다.

18 ① 제이슨은 직장까지 운전한다. ② 나는 8시간 동안 잔다. ③ 그녀는 나와 함께 쇼핑하러 간다. ④ 그는 자동차로 집에 간다. ⑤ 그 접시들은 식탁 위에 있다. / ③ 전치사 뒤에 대명사가 올 때는 목적격 형태로 써야 하므로 I를 me로 고쳐야 알맞다.

19 ① 그 영화는 5시 10분에 시작한다. ② 그녀는 종종 집에서 일한다. ③ 나는 밤에 늦게 잠자리에 든다. ④ 그녀의 생일은 3월이다. ⑤ 아빠는 오전 7시에 집에서 나가신다. / ④ '월' 앞에는 전치사 in을 쓴다. 나머지는 모두 전치사 at이 들어간다.

20 ① 이것은 너를 위한 선물이야. ② 나의 이모[고모, 숙모]는 우리를 위해 파이를 만들어주신다. ③ 그녀는 그녀의 엄마를 위해 꽃들을 산다. ④ 나는 한 시간 동안 TV를 본다. ⑤ 그는 그의 가족을 위해 요리한다.

REVIEW

CHAPTER 6-7 p.114

A 1 late 2 with 3 gently 4 is always 5 on 6 good

B 1 on 2 very, in 3 usually, after 4 at, in 5 often, to

A

1 우리는 가끔 저녁을 늦게 먹는다. / 동사 eat를 꾸며주는 부사 자리이다. late는 형용사와 부사의 형태가 같으므로 late가 알맞다.

2 너는 붓으로 그림을 그리니? / '(도구) ~로, ~을 가지고'를 의미하는 전치사 with가 알맞다.

3 바람이 잔잔하게 불어온다. / 동사 blows를 꾸며주는 부사 자리이므로 gently가 알맞다.

4 세레나는 항상 바쁘다. / 빈도부사는 be동사 뒤에 온다.

5 많은 차들이 다리 위에 있다. / 접촉해 있는 '~ 위에'를 의미하는 on이 알맞다.

6 그녀의 건강은 좋지 않다. / be동사 뒤에서 주어 Her health를 설명하는 형용사 자리이므로 good이 알맞다.

B

1 '특정한 날'을 나타내는 말 his birthday 앞에는 전치사 on이 알맞다.

2 첫 번째 빈칸에는 '매우'를 뜻하고 형용사 hot을 꾸며주는 부사 very가 들어가야 한다. 두 번째 빈칸에는 '계절'을 나타내는 명사 앞이므로 전치사 in이 알맞다.

FINAL TEST 1회 CHAPTER 1-7

p.116

01 ② 02 an 03 The 04 the 05 ③ 06 him 07 We 08 ④ 09 ④
10 Those 11 these girls 12 ③ 13 ④ 14 ② 15 ③ 16 ⑤
17 doesn't like 18 don't study 19 ③ 20 All 21 student 22 her new school
23 much butter 24 ④ 25 ④ 26 usually comes 27 is often
28 will sometimes play 29 ⑤ 30 for

01 ① 그녀는 소금이 필요하다. ② 나는 숙제가 있다. ③ 크리스는 공책을 산다. ④ 노라는 음악을 듣는다. ⑤ 그 아이들은 농구를 한다. / ① salt(소금), ⑤ basketball(농구)은 셀 수 없는 명사이므로 '하나'를 의미하는 a가 앞에 쓰일 수 없다.
③ notebook(공책)은 셀 수 있는 명사이므로 앞에 a를 붙이거나 뒤에 -s를 붙여야 한다.
④ music(음악)은 셀 수 없는 명사이므로 복수형을 만들 수 없다.

02 특별히 정해지지 않은 것 '하나'를 나타낼 때 명사 앞에 a나 an을 쓴다. elephant(코끼리)는 모음(e) 소리로 시작하는 명사이므로 앞에 an을 쓴다.

03 '그 여자아이들'이므로 특정한 것을 나타내는 The를 명사 girls 앞에 써야 한다.

04 moon(달)은 세상에 하나밖에 없는 것이므로 앞에 the를 써야 한다.

05 ① 방 두 개가 있다. ② 우산들이 있다. ③ 희망이 있다. ④ 연필들이 있다. ⑤ 토끼들이 있다. / ③ hope(희망)는 셀 수 없는 명사이므로 앞에 There is가 와야 한다. 나머지는 모두 복수 명사이므로 앞에 There are가 온다.

06 패트릭은 그의 아들을 사랑한다. / 동사 loves의 목적어 자리이면서 단수 명사인 his son을 대신하므로 him(그를)이 알맞다.

07 데이비드와 나는 개가 있다. / 주어 David and I를 대신하므로 주격 We(우리는)가 알맞다.

08 ① 그녀는 - 그녀의 ② 너는[너희들은] - 너의[너희들의] ③ 그는 - 그의 ④ 그들은 - 그들의 것 ⑤ 우리는 - 우리의 / ④ 주격과 소유대명사의 관계이다. 나머지는 모두 주격과 소유격의 관계이다.

09 이것들은 내 교과서들이다. → 이 교과서들은 내 것이다. ① 나의 ② 그의; 그의 것 ③ 그들의 ④ 나의 것 ⑤ 그것의 / 빈칸 뒤에 명사가 없으므로 '나의 것'을 의미하는 소유대명사 ④ mine이 알맞다.

12 ① 그 시험은 어렵다. ② 그들은 내 친구들이다. ③ 그 상자는 비어 있다. ④ 그 여자아이는 학교에 있다. ⑤ 톰과 나는 디자이너이다. / ③ 단수 명사 주어 The box(→ It) 뒤에 is가 오거나 are 앞에 복수 명사 주어 The boxes가 와야 한다.

13 첫 번째 문장에서 주어가 단수 명사 the boy(→ He)이므로 앞에 Is가 와야 한다. 두 번째 문장에서 '~가 아니다'라는 의미는 be동사의 부정문으로 나타낸다. 주어가 복수 명사 Her socks(→ They)이므로 are not의 줄임말 aren't가 알맞다.

14 Q: 그것은 탁자 위에 있니? A: 응, 그래. / it is로 대답하고 있으므로 빈칸에는 ② Is it이 알맞다. be동사의 의문문은 「be동사+주어 ~?」의 순서로 쓴다.

15 Q: 그녀는 학교에 걸어서 가니? A: 아니, 그렇지 않아. / she doesn't로 대답하고 있으므로 빈칸에는 ③ Does she가 알맞다. 일반동사의 의문문은 「Do/Does+주어+동사원형 ~?」의 순서로 쓴다.

16 ① 샘은 손을 씻는다. ② 그들은 산책을 한다. ③ 앤디는 아침 식사를 한다. ④ 그 여자아이들은 연을 날린다. ⑤ 엄마는 TV를 고치신다. / ⑤ My mom(→ She)은 3인칭 단수 주어이므로 동사는 3인칭 단수형으로 써야 한다. fix는 -x로 끝나는 동사이므로 뒤에 -es를 붙여야 한다.

17 '~하지 않다'라는 의미의 일반동사의 부정문 「do/does+not+동사원형」으로 나타낸다. 주어가 3인칭 단수 My sister(→ She)이므로 does not의 줄임말 doesn't를 쓴다.

18 주어가 복수 명사 Olive and Tom(→ They)이므로 do not의 줄임말 don't를 쓴다.

19 이 ______ 컵은 내 것이다. ① 검은 ② 새로운 ③ 필요하다 ④ 무거운 ⑤ 비싼 / 명사 cup을 꾸며 주는 말이 필요하므로 형용사 자리이다. ③ need는 동사이므로 빈칸에 들어갈 수 없다.

20 모든 그림들은 멋지다. / 복수 명사 앞에는 All이 와야 한다.

21 마이클은 모든 학생을 기억한다. / every 뒤에는 단수 명사가 와야 한다.

22 모니카는 그녀의 새 학교가 마음에 든다. / 「소유격+형용사+명사」의 순서로 써야 한다.

23 그들은 많은 버터를 가지고 있지 않다. / butter는 셀 수 없는 명사이므로 앞에 much를 써야 한다.

24 · 우유가 하나도 없다. · 너[너희들]는 질문이 좀 있니? / 셀 수 없는 명사(milk)와 복수 명사(questions) 앞에 모두 쓰일 수 있는 some과 any 중에서, 부정문과 의문문에 쓸 수 있는 any가 알맞다.

25 ① 우리는 그것을 부드럽게 만진다. ② 그는 조심스럽게 운전한다. ③ 내 남동생[오빠, 형]은 빨리 먹는다. ④ 내 엄마는 요리를 매우 잘하신다. ⑤ 사라는 문제들을 쉽게 푼다. / ④ very는 다른 부사 well을 꾸며 준다. 나머지 부사들은 모두 동사를 꾸며 준다.

26 빈도부사는 일반동사 앞에 쓴다.

27 빈도부사는 be동사 뒤에 쓴다.

28 「조동사+빈도부사+일반동사」의 순서로 쓴다.

29 ① 그는 영국에 산다. ② 나는 오전 8시에 조깅을 한다. ③ 스티브는 버스 정류장에 있다. ④ 우리는 월요일에 시험이 있다. ⑤ 그 책은 서랍 안에 있다. / ① '도시' 앞에는 전치사 in을 쓴다. ② '시각' 앞에는 전치사 at을 쓴다. ③ '특정한 지점' 앞에는 전치사 at을 쓴다. ④ '요일' 앞에는 전치사 on을 쓴다.

30 · 그녀는 한 시간 동안 잔다. · 폴은 그를 위해 선물들을 산다. / 첫 번째 문장을 먼저 보면 시간을 나타내는 표현 an hour 앞에 전치사 for가 들어가 '~동안'이라는 의미가 되는데, 두 번째 문장에서도 for를 넣으면 '그를 위해'라는 의미가 되므로 가장 자연스럽다.

FINAL TEST 2회 CHAPTER 1-7

p.120

01 ② **02** ④ **03** ③, ④ **04** ④ **05** ② **06** Its **07** mine **08** Those candies
09 Mac's **10** yours **11** is not **12** is **13** Are **14** ③ **15** ④ **16** ③ **17** ④
18 ⑤ **19** many **20** much **21** some **22** any **23** ③ **24** ② **25** ② **26** ①
27 ② **28** ④ **29** by **30** next to, me

01 ① 나는 꽃 한 송이가 보여. ② 그는 삼촌이 한 명 있다. ③ 그 집은 크다. ④ 지구는 아름답다. ⑤ 코끼리들을 좀 봐. / ② uncle(삼촌)은 모음(u) 소리로 시작하는 명사이므로 앞에 an을 쓴다.

02 ① 케이트는 고양이들이 있다. ② 우리는 시간이 없다. ③ 샐리는 숙제가 있다. ④ 그들은 농구를 한다. ⑤ 내 남동생[오빠, 형]은 영어를 한다. / ④ basketball(농구)은 셀 수 없는 명사이므로 '하나'를 의미하는 a가 앞에 쓰일 수 없다.

03 ______가 탁자 위에 있다. ① 오렌지들 ② 쿠키들 ③ 버터 ④ 칼 ⑤ 달걀들 / There are 뒤에는 복수 명사가 와야 한다. 따라서 셀 수 없는 명사 ③ butter와 단수 명사 ④ knife는 알맞지 않다.

04 테드는 내 친구들을 안다. ① 그를 ② 그들은

③ 그녀를; 그녀의 ④ 그들을 ⑤ 그들의 / 동사 knows의 목적어 자리이면서 복수 명사인 my friends를 대신하므로 ④ them(그들을)이 알맞다.

05 로빈 씨는 바쁘다. ① 그를 ② 그는 ③ 그것은 ④ 그녀는 ⑤ 그들은 / 주어 Mr. Robin을 대신하므로 주격 ② He(그는)가 알맞다.

06 명사 color 앞에는 '누구의' 색인지 나타내는 소유격 대명사 Its로 써야 한다.

07 빈칸 뒤에 명사가 없으므로 '나의 것'을 의미하는 소유대명사 mine으로 써야 한다.

08 지시형용사 that과 명사 candy 모두 복수형으로 바꿔 쓴다.

09 명사의 소유대명사(~의 것)는 's를 명사 뒤에 붙인다.

10 소유격 your 뒤에 명사가 없으므로 '너의 것'을 의미하는 소유대명사 yours로 고쳐 써야 한다.

11 루시는 내 여동생[누나, 언니]이 아니다. / not은 be동사 is 바로 뒤에 와야 한다.

12 우체국은 일 층에 있다. / 주어가 단수 명사 The post office(→ It)이므로 뒤에 is가 알맞다.

13 그들은 잘생겼니?

14 ① 수는 그를 방문한다. ② 내 부모님은 TV를 보신다. ③ 해리는 학교에 간다. ④ 케빈은 과학을 가르친다. ⑤ 그 박물관은 오전 10시에 연다. / ① Sue(→ She), ⑤ The museum(→ It)은 3인칭 단수 주어이므로 동사 뒤에 -s를 붙인다. ② My parents(→ They)는 복수 명사 주어이므로 동사 원형이 와야 한다. ④ Kevin(→ He)은 3인칭 단수 주어이므로 동사는 3인칭 단수형으로 써야 한다. teach는 -ch로 끝나는 동사이므로 뒤에 -es를 붙인다.

15 ______는 탄산음료를 마시지 않는다. ① 톰 ② 내 남동생[오빠, 형] ③ 그 여자아이 ④ 수지와 나 ⑤ 그의 아들 / ④ Susie and I(→ We)는 복수 명사이므로 빈칸에 들어갈 수 있다. 나머지는 모두 단수 명사이므로 뒤에 doesn't가 와야 한다.

16 ______은 한국어를 배우니? ① 그들 ② 네 부모님 ③ 그녀의 사촌 ④ 너[너희들] ⑤ 케이트와 지미 / ③ her cousin(→ she 또는 he)은 3인칭 단수 명사이므로 빈칸에 들어갈 수 있다. 나머지는 모두 복수 명사이므로 앞에 Do가 와야 한다.

17 ① 그것은 귀여운 인형이다. ② 이것은 큰 가방이다. ③ 그것은 그녀의 새 신발이다. ④ 그 컴퓨터들은 오래되었다. ⑤ 그 초록색 자전거는 네 것이다. / ④ 형용사 old는 주어 The computers의 상태를 설명해준다. 나머지 형용사들은 모두 명사 앞에서 명사를 꾸며주는 역할을 한다.

18 ① 모든 아이들은 사랑스럽다. ② 내 아빠는 모든 꽃들을 좋아하신다. ③ 나는 모든 문제들을 푼다. ④ 내 모든 형제들은 키가 크다. ⑤ 모든 방은 비어 있다. / ⑤ 빈칸 뒤에 단수 명사가 오므로 Every가 알맞다. 나머지는 모두 빈칸 뒤에 복수 명사가 뒤에 오므로 All[all]이 알맞다.

19 '많은'을 뜻하고 셀 수 있는 명사 cookies 앞에 쓸 수 있는 many가 알맞다.

20 '많은'을 뜻하고 셀 수 없는 명사 money 앞에 쓸 수 있는 much가 알맞다.

21 '권유나 허락'을 나타내는 의문문에서 '약간의, 조금'을 의미하는 some이 알맞다.

22 부정문에서 '조금도, 하나도'의 의미를 나타내는 any가 알맞다.

23 · 그는 바이올린을 매우 잘 연주한다. · 제이크는 빠르게 말한다. / 각각 동사 plays와 talks를 꾸며주는 자리이다. 형용사 good의 부사 형태는 well이며, fast는 형용사와 부사의 형태가 같으므로 ③ well - fast가 알맞다.

24 그녀는 그것을 절대 잊지 않을 것이다. / 빈도부사 never는 조동사 will과 일반동사 forget 사이에 와야 한다.

25 엠마는 가끔 학교에 늦는다. / 빈도부사 sometimes는 be동사 is 뒤에 와야 한다.

26 토니는 항상 일찍 잠자리에 든다. / 빈도부사 always는 일반동사 goes 앞에 와야 한다.

27 · 밥은 파리에 산다. · 내 생일은 3월이다. / 첫 번째 문장에서 '도시' 앞에는 전치사 in이 알맞다. 두 번째 문장에서 '월' 앞에는 전치사 in을 쓴다.

28 · 그 파티는 12월 24일이다. · 아빠는 그의 안경을 탁자 위에 놓으신다. / 첫 번째 문장에서 '날짜' 앞

에는 전치사 on을 쓴다. 두 번째 문장에서 접촉해 있는 '~ 위에'를 의미하는 on이 알맞다.

29 전치사 by는 교통수단을 나타내는 말 앞에 쓰인다.

30 '~ 바로 옆에'를 의미하는 전치사는 next to이다.

WORKBOOK

정답과 해설

CHAPTER 1 명사와 관사

UNIT 1

p.2

01 tomatoes	02 hamburgers
03 watches	04 toys
05 cats, fish	06 glasses
07 children	08 jeans
09 babies	10 dishes
11 leaves	12 Sheep, goats

01 -o로 끝나는 명사는 뒤에 -es를 붙인다.

03 -ch로 끝나는 명사는 뒤에 -es를 붙인다.

05 fish(물고기)의 복수형은 단수형과 모양이 같다.

06, 08 glasses(안경), jeans(청바지)는 항상 복수형으로 쓴다.

07 child(아이)의 복수형은 children이다.

09 '자음+y'로 끝나는 명사는 y를 i로 고치고 -es를 붙인다.

11 -f로 끝나는 명사는 f를 v로 고치고 -es를 붙인다.

12 sheep(양)의 복수형은 단수형과 모양이 같다.

UNIT 2

p.3

01 bread	02 basketball	03 money
04 January	05 piece	06 bread
07 music	08 math	09 bottles
10 homework		11 milk

01, 03, 07, 10 셀 수 없는 명사는 복수형을 만들 수 없다.

02, 08, 11 셀 수 없는 명사 앞에는 '하나'를 의미하는 a나 an이 쓰일 수 없다.

04 '월'을 나타내는 명사는 하나뿐인 고유한 이름이므로 항상 첫 글자를 대문자로 쓴다.

05 앞에 '하나'를 의미하는 a가 있으므로 단수형 piece가 알맞다.

06 bread는 셀 수 없는 명사이므로 복수형으로 쓸 수 없다. 대신 세는 단위인 loaf를 복수형 loaves로 나타낸다.

09 앞에 three가 있으므로 세는 단위는 복수형이 되어야 한다.

UNIT 3

p.4

01 an	02 a	03 the	04 The
05 The	06 a, The	07 ×, ×	08 the
09 the, The		10 a, The	

01 모음(a, e, i, o, u) 소리로 시작하는 셀 수 있는 명사 앞에는 an을 쓴다.

03 악기 이름 앞에는 the를 써야 한다.

04, 05, 09 특정한 것이나 세상에 하나밖에 없는 것 앞에는 the[The]를 쓴다.

06, 10 첫 번째 빈칸에는 특별히 정해지지 않은 것 '하나'를 나타내는 a를 쓰고, 두 번째 빈칸에는 앞 문장에서 말한 것을 다시 한 번 말하는 것이므로 The를 써야 한다.

07 나라, 언어, 사람 이름 앞에는 a, an, the를 쓰지 않는다.

GRAMMAR IN SENTENCES

p.5

01 Ten deer are in the park.
02 Cindy has three classes
03 He likes English.
04 Five knives are on the table.
05 I study five subjects.
06 My sister needs butter.
07 Nicole lives in London.
08 The kids want two potatoes.
09 Her friend plays the violin.
10 They have two cans of soda.

CHAPTER 2 대명사

UNIT 1 p.6

01 us	02 She	03 it	04 them
05 We	06 her	07 He	08 it
09 They	10 him	11 us	12 It
13 them	14 you	15 them	

01 그녀는 샐리와 나를 안다.
02 내 여동생[언니, 누나]은 소방관이다.
03 스미스 씨는 차를 가지고 있다.
04 그는 그의 사촌들을 아주 좋아한다.
05 제이미와 나는 학생이다.
06 우리는 우리의 할머니를 그리워한다.
07 아빠는 일요일마다 축구를 하신다.
08 나는 그의 초록색 야구모자가 마음에 든다.
09 데이비드와 라이언은 학교에 간다.
10 너[너희들]는 내 삼촌을 안다.
11 화이트 씨는 제인과 나를 가르치신다.
12 그 카페는 일층에 있다.
13 그 토끼는 당근을 먹는다.
14 내 가족은 너와 진을 돕는다.
15 내 언니[누나, 여동생]는 공책을 산다.

UNIT 2 p.7

01 mine	02 His	03 Ben's	04 hers
05 Jenny's	06 Her	07 Its	08 your
09 my	10 ours	11 her	12 His
13 theirs	14 yours	15 Angela's	

01, 04, 10, 13, 14 빈칸 뒤에 명사가 없으므로 '~의 것'을 의미하는 소유대명사가 와야 한다.

02, 06, 07, 08, 09, 11, 12 빈칸 뒤에 명사가 오므로 '누구의' 것인지 나타내는 소유격 대명사가 와야 한다.

03, 05, 15 명사의 소유격과 소유대명사는 명사 뒤에 's를 붙인다.

UNIT 3 p.8

01 ×, This house 02 O
03 ×, Those 04 ×, That girl
05 ×, This 06 ×, These socks 07 O
08 ×, those comic books
09 ×, This pencil 10 ×, Those 11 O

→ 「this/that+is」, 「these/those+are」
「this/that+단수 명사」, 「these/those+복수 명사」

06 socks(양말)처럼 짝을 이루는 명사는 항상 복수형으로 쓰므로 앞에 These를 쓴다.

GRAMMAR IN SENTENCES p.9

01 She teaches me.
02 We help them.
03 The bicycle is his.
04 He is Kate's uncle.
05 Its eyes are big.
06 Those are potatoes.
07 They like this actor.
08 That cellphone is expensive.
09 These are his gloves.
10 Her son is a police officer.

CHAPTER 3 be동사

UNIT 1 p.10

01 are 02 is 03 are 04 are
05 am 06 is 07 are 08 are
09 is 10 is

01 주어가 복수 명사 Tom and I(→ We)이므로 are가 알맞다.
02 주어가 3인칭 단수 Julie(→ She)이므로 is가 알맞다.
03 주어가 복수 명사 His sisters(→ They)이므로 are가 알맞다.
04 주어가 복수 명사 The cookies(→ They)이므로 are가 알맞다.
08 주어가 복수 명사 The cats(→ They)이므로 are가 알맞다.
09 주어가 3인칭 단수 Jim(→ He)이므로 is가 알맞다.
10 주어가 3인칭 단수 The hospital(→ It)이므로 is가 알맞다.

UNIT 2 p.11

01 I'm not 02 Is he 03 isn't
04 Is she 05 aren't 06 isn't
07 Are these 08 aren't 09 Is it
10 isn't

03 주어가 3인칭 단수 Jane(→ She)이므로 뒤에 'be동사+not'의 줄임말인 isn't가 온다.
05 주어가 복수 명사 The pencils(→ They)이므로 뒤에 'be동사+not'의 줄임말인 aren't가 온다.
06 주어가 단수 명사 The magazine(→ It)이므로 뒤에 'be동사+not'의 줄임말인 isn't가 온다.
10 주어가 단수 명사 Her hair(→ It)이므로 뒤에 'be동사+not'의 줄임말인 isn't가 온다.

UNIT 3 p.12

01 is 02 are 03 Is
04 are not 05 a cat 06 Are
07 are 08 Is 09 is 10 isn't
11 an eraser 12 rabbits
13 are 14 notebooks
15 is not 16 Are

01 바구니 안에 인형이 한 개 있다.
02 도로에 많은 차들이 있다.
03 식탁 위에 버터가 있나요?
04 하늘에 많은 별들이 없다.
05 침대 아래에 고양이 한 마리가 있다.
06 연못에 개구리들이 있니?
07 부엌에 의자 네 개가 있다.
08 많은 설탕이 있니?
09 거실에 소파가 하나 있다.
10 나의 동네에는 서점이 없다.
11 내 필통 안에는 지우개 하나가 있다.
12 우리 안에 토끼들이 있니?
13 놀이터에 여섯 명의 아이들이 있다.
14 내 가방 안에 공책들이 있다.
15 병 안에 많은 물이 없다.
16 그 공원에는 많은 사람들이 있니?

GRAMMAR IN SENTENCES p.13

01 Cathy isn't hungry.
02 There are three mirrors
03 Are the scissors sharp?
04 The class is boring.
05 There are two students
06 She is[She's] at the restaurant.
07 Are there apples

08 There isn't[is not] an airport
09 Brian isn't[is not] a soldier.
10 Are the watermelons fresh?

CHAPTER 4 일반동사

UNIT 1

p.14

01 visits	02 like	03 watches
04 read	05 helps	06 studies
07 has	08 drinks	09 does
10 fix	11 takes	12 play

01 주어가 3인칭 단수 My sister(→ She)이므로 동사 visit 뒤에 -s를 붙인다.
03 주어가 3인칭 단수 Maria(→ She)이고, watch가 -ch로 끝나는 동사이므로 뒤에 -es를 붙인다.
04 주어가 복수 명사 The kids(→ They)이므로 동사원형 read가 알맞다.
06 '자음+y'로 끝나는 동사의 3인칭 단수형은 y를 i로 고치고 -es를 붙인다.
07 주어가 3인칭 단수 My aunt(→ She)이므로 have의 3인칭 단수형 has로 써야 한다.
09 주어가 3인칭 단수 The boy(→ He)이고, do가 -o로 끝나는 동사이므로 뒤에 -es를 붙인다.

UNIT 2

p.15

01 doesn't speak	02 don't live
03 doesn't have	04 don't open
05 doesn't start	06 doesn't wear
07 don't wash	08 doesn't climb
09 don't eat	10 doesn't work

→ 일반동사의 부정문은 「do/does+not+동사원형」으로 나타낸다.

UNIT 3

p.16

01 Do you understand
02 Does it rain
03 Do they take
04 Does Helen exercise
05 Does the player run
06 Do the girls ride
07 Does Judy go
08 Does she walk
09 Do we have
10 Does Mr. John buy

→ 일반동사의 의문문은 「Do/Does+주어+동사원형 ~?」으로 나타낸다.

01 너는 그 질문을 이해하니?
02 런던에 비가 오니?
03 그들은 사진을 찍니?
04 헬렌은 매일 운동을 하니?
05 그 선수는 빨리 달리니?
06 그 여자아이들은 자전거를 타니?
07 주디는 일요일마다 도서관에 가니?
08 그녀는 매일 개를 산책시키니?
09 우리는 오늘 수학 시험이 있니?
10 존 씨는 많은 간식들을 사니?

GRAMMAR IN SENTENCES

p.17

01 The store doesn't sell socks.
02 Ms. Green teaches us.
03 Do you learn history?
04 Gina sleeps late
05 Noel doesn't[does not] practice baseball
06 Does he clean his desk?
07 She brushes her hair
08 They don't[do not] know my name.
09 Andy doesn't[does not] hate garlic.
10 Does the student use a laptop?

CHAPTER 5 형용사

UNIT 1

p.18

01 is big	02 her red boots
03 The new bicycle	04 this cute dog
05 is blue	06 my first son
07 The five apples	08 The nice car
09 is cold	
10 an expensive watch	
11 His second daughter	

01, 05, 09 「be동사+형용사」의 순서로 쓴다.
02, 06, 11 「소유격+형용사+명사」의 순서로 쓴다.
03, 07, 08, 10 「a/an/the+형용사+명사」의 순서로 쓴다.
04 「this+형용사+명사」의 순서로 쓴다.

UNIT 2

p.19

01 many	02 much	03 any	04 some
05 some	06 any	07 many	08 any
09 some	10 some		

02 '많은'을 뜻하고 셀 수 없는 명사 time 앞에 쓸 수 있는 much를 추가하여 쓴다.
03, 08 부정문에서 '조금도, 하나도'의 의미를 나타내는 any를 추가하여 쓴다.
04, 09 '부탁이나 권유'를 나타내는 의문문에서 '약간의, 조금'이라는 의미를 나타내는 some을 추가하여 쓴다.
05, 10 긍정문에서 '몇몇의, 약간의, 조금'이라는 뜻으로 쓸 수 있는 some을 추가하여 쓴다.
06 의문문에서 '약간의, 조금'이라는 뜻으로 쓸 수 있는 any를 추가하여 쓴다.

UNIT 3

p.20

01 All	02 every	03 All
04 day	05 all	06 Every
07 All	08 every	09 game
10 all	11 babies	12 Every
13 All	14 season	15 all
16 students		

01 모든 꽃들은 물이 필요하다.
02 나는 가을마다 등산을 간다.
03 내 모든 여동생[누나, 언니]들은 영어를 배운다.
04 나는 그 노래를 매일 듣는다.
05 그녀는 모든 문제들을 푼다.
06 모든 치타는 빠르다.
07 내 모든 아이들은 똑똑하다.
08 우리는 매주 캠핑을 간다.

09 내 형[오빠, 남동생]은 모든 경기를 이긴다.
10 테일러는 그의 모든 아이들을 사랑한다.
11 모든 아기들은 귀엽다.
12 모든 사람은 다르다.
13 내 모든 사촌들은 부산에 산다.
14 케이트는 모든 계절을 좋아한다.
15 모든 문들을 열어라.
16 모든 학생들은 지금 학교에 있다.

GRAMMAR IN SENTENCES

p.21

01 These books are interesting.
02 This is a large room.
03 I like my new classmate.
04 There are many roses
05 Does he drink much water?
06 Do you have any information?
07 We want some coffee.
08 Jason likes every subject.
09 There aren't any tigers
10 All my teachers are kind.

01 「be동사+형용사」의 순서로 쓴다.
04 '많은'을 뜻하고 셀 수 있는 명사 앞에 쓸 수 있는 many를 써야 한다.
05 water는 셀 수 없는 명사이므로 앞에 much를 써야 한다.
08 every 뒤에는 단수 명사 형태인 subject가 와야 한다.
10 all 뒤에는 복수 명사 형태인 my teachers가 와야 한다.

CHAPTER 6 부사

UNIT 1

p.22

01 quickly	**02** happily	**03** fast
04 quietly	**05** easily	**06** early
07 very cold	**08** hard	**09** very well
10 really kind		

01, 04 대부분의 부사는 형용사 뒤에 -ly를 붙인다.
02, 05 '자음+y'로 끝나는 형용사는 y를 i로 바꾸고 -ly를 붙인다.
03 fast는 형용사와 부사의 모양이 같다.
06 early는 형용사와 부사의 모양이 같다.
08 hard는 형용사와 부사의 모양이 같다.
09 형용사 good의 부사는 well로 쓴다.

UNIT 2

p.23

01 is always	**02** often go
03 are sometimes	**04** usually wakes up
05 will never	**06** are usually
07 always walk	**08** sometimes read
09 is always	**10** are often

→ 빈도부사의 자리: 보통 일반동사 앞, be동사나 조동사 뒤

GRAMMAR IN SENTENCES p.24

01 The boy sings loudly.
02 The kite flies high
03 My mom drives very carefully.
04 The building is very old.
05 She rides a skateboard well.
06 He always goes to the beach
07 My sister is usually busy.
08 Kevin sometimes cooks Korean food.
09 We often drink coffee
10 I am[I'm] never late

CHAPTER 7 전치사

UNIT 1 p.25

01 in	02 on	03 across
04 behind	05 between	06 under
07 at	08 next to	09 between
10 in front of		

UNIT 2 p.26

01 on July 19th	02 in August
03 with me	04 at 2 o'clock
05 after lunch	06 on Christmas Day
07 about planes	08 for their parents
09 to school	10 for 5 minutes

GRAMMAR IN SENTENCES p.27

01 This is a song about hope.
02 Jake is next to the stage.
03 Paul drinks water before breakfast.
04 My grandpa lives in Seoul.
05 The book is between the TV and the computer.
06 Bill has lunch at noon.
07 My aunt goes to Busan by train.
08 The girl is in front of the school.
09 There is a truck across the road.
10 Amy reads newspapers for an hour.

부가자료 다운로드

www.cedubook.com

쎄듀 초·중등 커리큘럼

	예비초	초1	초2	초3	초4	초5	초6

구문
- 천일문 365 일력 | 초1-3 | 교육부 지정 초등 필수 영어 문장
- 초등코치 천일문 SENTENCE — 1001개 통문장 암기로 완성하는 초등 영어의 기초

문법
- 초등코치 천일문 GRAMMAR — 1001개 예문으로 배우는 초등 영문법
- 왓츠 Grammar — Start (초등 기초 영문법) / Plus (초등 영문법 마무리)

독해
- 왓츠 리딩 70 / 80 / 90 / 100 A / B — 쉽고 재미있게 완성되는 영어 독해력

어휘
- 초등코치 천일문 VOCA&STORY — 1001개의 초등 필수 어휘와 짧은 스토리
- 패턴으로 말하는 초등 필수 영단어 1 / 2 — 문장 패턴으로 완성하는 초등 필수 영단어

ELT
- Oh! My PHONICS 1 / 2 / 3 / 4 — 유·초등학생을 위한 첫 영어 파닉스
- Oh! My SPEAKING 1 / 2 / 3 / 4 / 5 / 6 — 핵심 문장 패턴으로 더욱 쉬운 영어 말하기
- Oh! My GRAMMAR 1 / 2 / 3 — 쓰기로 완성하는 첫 초등 영문법

	예비중	중1	중2	중3

구문
- 천일문 STARTER 1 / 2 — 중등 필수 구문 & 문법 총정리

문법
- 천일문 GRAMMAR LEVEL 1 / 2 / 3 — 예문 중심 문법 기본서
- GRAMMAR Q Starter 1, 2 / Intermediate 1, 2 / Advanced 1, 2 — 학기별 문법 기본서
- 잘 풀리는 영문법 1 / 2 / 3 — 문제 중심 문법 적용서
- GRAMMAR PIC 1 / 2 / 3 / 4 — 이해가 쉬운 도식화된 문법서
- 1센치 영문법 — 1권으로 핵심 문법 정리

문법+어법
- 첫단추 BASIC 문법·어법편 1 / 2 — 문법·어법의 기초

문법+쓰기
- EGU 영단어&품사 / 문장 형식 / 동사 써먹기 / 문법 써먹기 / 구문 써먹기 — 서술형 기초 세우기와 문법 다지기
- 올씀 1 기본 문장 PATTERN — 내신 서술형 기본 문장 학습

쓰기
- 거침없이 Writing LEVEL 1 / 2 / 3 — 중등 교과서 내신 기출 서술형
- 중학 영어 쓰작 1 / 2 / 3 — 중등 교과서 패턴 드릴 서술형

어휘
- 천일문 VOCA 중등 스타트/필수/마스터 — 2800개 중등 3개년 필수 어휘
- 어휘끝 중학 필수편 — 중학 필수어휘 1000개
- 어휘끝 중학 마스터편 — 고난도 중학어휘 +고등기초 어휘 1000개

독해
- ReadingGraphy LEVEL 1 / 2 / 3 / 4 — 중등 필수 구문까지 잡는 흥미로운 소재 독해
- Reading Relay Starter 1, 2 / Challenger 1, 2 / Master 1, 2 — 타교과 연계 배경 지식 독해
- READING Q Starter 1, 2 / Intermediate 1, 2 / Advanced 1, 2 — 예측/추론/요약 사고력 독해

독해전략
- 리딩 플랫폼 1 / 2 / 3 — 논픽션 지문 독해

독해유형
- Reading 16 LEVEL 1 / 2 / 3 — 수능 유형 맛보기 + 내신 대비
- 첫단추 BASIC 독해편 1 / 2 — 수능 유형 독해 입문

듣기
- Listening Q 유형편 / 1 / 2 / 3 — 유형별 듣기 전략 및 실전 대비
- 쎄듀 빠르게 중학영어듣기 모의고사 1 / 2 / 3 — 교육청 듣기평가 대비